Taith Iaith 3

Llyfr Cwrs

Golygydd

Non ap Emlyn

Prifysgol Cymru Aberystwyth

Cyhoeddwyd gan y Ganolfan Astudiaethau Addysg, Aberystwyth, gyda chymorth ariannol Awdurdod Cymwysterau, Cwricwlwm ac Asesu Cymru.
Gwefan: www.caa.aber.ac.uk

ISBN 1 84521 000 X

Awduron: *Non ap Emlyn, Rhiannon Packer, Elen Roberts*
Golygydd a Chydlynydd: *Non ap Emlyn*
Dylunwyr: *Andrew Gaunt, Enfys Jenkins*
Cynllun y Clawr: *Andrew Gaunt*
Lluniau'r clawr: *Gwobr Dug Caeredin, Wakeboard.co.uk, John Harvey Photos, Jim Goodrich, Hedd ap Emlyn*
Paratoi'r deunydd ar gyfer y wasg: *Eirian Jones*

Aelodau'r Grŵp Monitro: *Angharad Evans, Linda Jones, Carys Lake, Ann Lewis, Aled Loader, Lyn Mortell*

Argraffwyr: *Gwasg Gomer, Llandysul*

Cydnabyddiaethau

Mae'r cyhoeddwyr yn ddiolchgar i'r canlynol am ganiatâd i atgynhyrchu deunyddiau:

Hedd ap Emlyn: tud. 1, 38, 40, 41, 42, 44, 46, 49
Urdd Gobaith Cymru: tud. 1, 2, 15, 29, 61
Andrew Gaunt: tud. 1, 12, 14, 15, 21, 22, 23, 24, 25, 35, 36, 37, 42, 43, 46, 48, 49, 53, 59, 67, 69, 70, 72, 73, 74, 75
Enfys Jenkins: tud. 2, 3, 24, 29, 45, 66
Keith Morris: tud. 2, 29
Photolibrary Wales: tud. 2, 3, 4, 9, 11, 24, 29, 30, 40, 42, 55
Jim Goodrich: tud. 3
John Harvey Photos: tud. 4
Mike Collins: tud. 5, 16-18, 32-34, 50-51, 62-64, 76-77
Gwobr Dug Caeredin Cymru: tud. 6, 7, 8
Bubbles Photo Library: tud. 9, 10, 31
Wakeboard.co.uk/Chris West Photography: tud. 10, 11
Lleuwen Hedd: tud. 13
Dictionary of Superstitions: tud. 15
Guinness World Records: tud. 25
John Birdsall Social Issues Photo Library: tud. 29, 30, 31, 40, 41, 49
Eisteddfod Genedlaethol Cymru: tud. 29
Zac Davies: tud. 40
Richard Huw Pritchard: tud. 45
Save-a-Cup Recycling Company Limited: tud. 47
Camera Press: tud. 49, 54, 56, 57, 60, 61
Ifan Gwilym: tud. 53
C.M. Dixon Photo Library: tud. 54
Hutchison/Eye Ubiquitous: tud. 54, 58, 61
Barry Williams: tud. 58
S4C: tud. 66
Luned Ainsley: tud. 67, 69
Huw Edwards: tud. 68
Harold Reynolds: tud. 73
Ken Radford, *Tales of North Wales* a *Tales of South Wales*: tud.75

Mae'r cyhoeddwyr wedi gwneud pob ymgais i gysylltu â'r deiliaid hawlfraint ond ymddiheurwn os oes unrhyw un wedi'i adael allan.

Cynnwys

I'r tiwtor

Mae *Taith Iaith 3* yn rhan o gwrs cenedlaethol ar gyfer Cyfnod Allweddol 3. Mae wedi ei baratoi gan athrawon profiadol sy'n gweithio yn y maes ac mae'n cynnwys Llyfr Cwrs, Llyfr Gweithgareddau, cryno ddisg a gwefan (www.caa.aber.ac.uk).

Cwrs cenedlaethol

Gan fod hwn yn gwrs cenedlaethol, roedd rhaid ystyried yn ddwys pa ffurfiau y dylid eu cyflwyno, fel bod y gwaith yr un mor berthnasol i ddysgwyr ym mhob rhan o Gymru. Penderfynwyd, felly, y dylid cyflwyno ffurfiau safonol ond gall tiwtoriaid ddefnyddio ffurfiau mwy lleol os ydynt yn dymuno. Yng nghefn y llyfr hwn, felly, ceir rhestr o rai o'r ffurfiau eraill y gellid eu defnyddio os yw'r tiwtor yn teimlo eu bod yn fwy priodol.

Nod y Cwrs

Un o nodau amlycaf y cwrs hwn yw rhoi cyfle i ddisgyblion gael profiadau cadarnhaol yn eu gwersi Cymraeg – profiadau sy'n cynnig her a boddhad iddynt. Gwneir hyn drwy gyflwyno'r iaith yn strwythuredig mewn cyd-destunau sy'n ystyrlon, defnyddiol a diddorol. Gwnaed ymdrech ym mhob uned i sicrhau bod pwrpas clir i'r gwaith a bod digon o gyfleoedd i feithrin sgiliau ieithyddol rhyngweithiol.

Cynnwys y Llyfr Cwrs

Yn ogystal â chyflwyno iaith, ceir yn yr unedau stori lun, ambell gerdd a darnau ffeithiol byr i'w darllen. Pwrpas y rhain yw rhoi cyfle i ddisgyblion ddarllen darnau diddorol sy'n defnyddio'r iaith y maent eisoes wedi ei dysgu. Nid oes angen gwneud gweithgareddau iaith ffurfiol ar ôl eu darllen gan fod darllen er pleser yn bwysig ynddo'i hun. Fodd bynnag, mae ambell weithgaredd ar gael ar y wefan os yw tiwtoriaid yn dymuno gosod gweithgareddau penodol.

Mae pob uned yn adeiladu ar unedau blaenorol ac maent yn datblygu ymhellach yr hyn a gyflwynwyd yn *Taith Iaith 1* a *2*, fel bod patrymau iaith a geirfa'n cael eu hadolygu a'u datblygu'n gyson drwy'r cwrs cyfan.

Cyflwyno'r gwaith

Dylai tiwtoriaid gyflwyno'r cwrs yn y modd sydd fwyaf priodol i'w sefyllfaoedd nhw, gan fanteisio ar bob cyfle i gyflwyno deunydd atodol, pwrpasol, fel gemau iaith, fideos, deunyddiau darllen priodol ac ati.

Y Llyfr Gweithgareddau

Ceir yn y Llyfr Gweithgareddau lawer o weithgareddau y gellir **dewis a dethol** ohonynt. Unwaith eto, gellir eu defnyddio fel y maent yn ymddangos yn y llyfr hwnnw, neu gellir eu haddasu a'u datblygu yn unol â gofynion dosbarthiadau penodol. (Gweler y Llyfr Gweithgareddau am fwy o fanylion.)

Y cryno ddisg a'r wefan

Mae'r cryno ddisg yn cynnwys darnau gwrando ar gyfer pob uned ac mae'r wefan yn cynnwys y sgriptiau ar gyfer y darnau hyn, gweithgareddau atodol, taflenni gwaith a gridiau a mapiau i'w defnyddio wrth wneud y gweithgareddau.

Gobeithio'n fawr y bydd y disgyblion a'r tiwtoriaid yn mwynhau'r gwaith a geir yn y cwrs, ac y bydd yn gyfrwng hwylus ar gyfer cyflwyno a datblygu'r Gymraeg mewn modd pwrpasol, cyffrous. Gobeithio hefyd y bydd y strategaethau a geir yma yn arwain at ymagwedd gadarnhaol at ddysgu'r Gymraeg ac at gynnydd sylweddol yng ngallu disgyblion i gyfathrebu yn y Gymraeg erbyn diwedd Cyfnod Allweddol 3.

Non ap Emlyn
Mai 2005

Ceir cyfeiriadau hwnt ac yma at

Y Chwiliadur Iaith 🔍 y cryno ddisg

ac at y wefan (www.caa.aber.ac.uk)

1. Diddorol?
... neu ... Wahanol?

Yn yr uned yma, rwyt ti'n mynd i weld faint rwyt ti'n gofio ar ôl y gwyliau!

Hefyd, mae'r dosbarth yn mynd i wneud 2 arddangosfa:
- arddangosfa 1: *DIDDOROL!*
- arddangosfa 2: *GWAHANOL!*

DIDDOROL NEU WAHANOL?

lle mae	where there are
ysbryd, ysbrydion	ghost,-s

Rydw i'n mwynhau canŵio. Rydw i'n mynd ...

Rydw i wrth fy modd yn casglu ... Rydw i'n ...

Rydw i'n mwynhau mynd i gartrefi lle mae ysbrydion. Rydw i'n ...

Rydw i wrth fy modd yn coginio ac yn trio bwyd newydd. Yn ystod yr haf, bwytais i hufen iâ blas sardîns! Mmmmmmm!!

Hufen iâ sawrus

Beth wyt ti'n hoffi – hufen iâ fanila ... neu hufen iâ siocled ... neu hufen iâ coffi?

Wel, beth am hufen iâ caws ... neu hufen iâ pysgod ... neu hufen iâ cyri ... neu hufen iâ cig moch ac wy?

Beth wyt ti'n feddwl? 'Blasus' neu 'Ych a fi'?

Dydy hufen iâ sawrus ddim yn newydd. Roedd pobl yn bwyta hufen iâ sawrus dros gant o flynyddoedd yn ôl.

Mae rhai pobl yn gwneud hufen iâ sawrus nawr, ac mae rhai cwmnïau mawr yn dweud, 'Rydyn ni'n mynd i wneud mwy o hufen iâ sawrus.' Felly, efallai cyn bo hir, byddi di'n bwyta hufen iâ caws ar y stryd!

sawrus	savoury
blasus	delicious
cant o flynyddoedd	a hundred years
yn ôl	ago
cwmni, cwmnïau	company, companies
cyn bo hir	before long

GWEITHGAREDD 1

Idiomau

Rydw i'n mwynhau   chwarae pêl-droed

                          nofio

Rydw i wrth fy modd yn   gwneud jwdo

                          mynd ar y we

                          gwrando ar gryno ddisgiau

                          gwylio ffilmiau

                          gwylio'r teledu

                          sglefrfyrddio

                          beicio

                          marchogaeth

tud 96

Beth am ddweud mwy?

Rydw i'n mwynhau	BETH?	BLE?	PRYD?	PAM?
	chwarae pêl-droed	yn y parc	bob dydd Sadwrn	achos mae'n hwyl
	nofio	yn y pwll nofio	bob nos Iau	achos mae'n iach
	gwneud jwdo	yn y clwb jwdo	bob nos Fecher	achos rydw i eisiau bod yn heini

→ **TAITH IAITH 1, TUD. 12-15**   **TUD. 18**   **TUD. 16**   **TUD. 19-32**

tud 83, 87-9

Rydw i wrth fy modd yn gwrando ar gryno ddisgiau yn fy ystafell wely bob nos achos rydw i'n ymlacio.

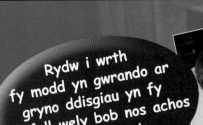

Pryd? — When

bob dydd	*every day*
bob nos	*every night*
bob penwythnos	*every weekend*
bob wythnos	*every week*
bob pythefnos	*every fortnight*
bob dydd Sadwrn	*every Saturday*
bob bore Sadwrn	*every Saturday morning*
bob nos Wener	*every Friday night*

Rydw i'n mwynhau rhedeg yn y wlad yn ystod y penwythnos achos rydw i eisiau bod yn heini.

Pryd? — When

yn ystod y penwythnos	*during the weekend*
yn ystod y gwyliau	*during the holidays*
yn ystod yr haf	*during the summer*

GWEITHGAREDD 2-3

2

Gyda pwy? Efo pwy?

gyda fy ffrindiau	efo fy ffrindiau	*with my friends*
gyda fy nheulu	efo fy nheulu	*with my family*
gyda fy mrawd	efo fy mrawd	*with my brother*
gyda fy chwaer	efo fy chwaer	*with my sister*
ar fy mhen fy hun	*by myself*	
ar dy ben dy hun	*by yourself*	
ar ei ben ei hun	*by himself*	
ar ei phen ei hun	*by herself*	
ar ein pen ein hunain	*by ourselves*	
ar eich pen eich hunain	*by yourselves*	
ar eu pen eu hunain	*by themselves*	

→ **TAITH IAITH 1, TUD. 16**

→ **TAITH IAITH 2, TUD. 43**

Rydw i wrth fy modd yn gwylio'r teledu <u>ar fy mhen fy hun</u> achos rydw i'n gallu ymlacio.

tud 94

Rydw i'n mwynhau darllen <u>ar fy mhen fy hun</u> achos rydw i'n mwynhau stori dda.

Jac ydw i.

Rydw i'n mwynhau mynd i sglefrfyrddio yn y parc sglefrfyrddio yn y dre.
Rydw i'n mynd yn y nos ac yn ystod y penwythnos.
Weithiau, rydw i'n mynd ar fy mhen fy hun ond weithiau mae fy ffrindiau'n dod hefyd.
Rydw i wrth fy modd yn sglefrfyrddio achos mae'n gyffrous iawn. Rydw i'n mwynhau gwneud triciau a styntiau ac rydw i'n mwynhau sglefrfyrddio ar y ramp siâp U yn y parc.
Rydw i'n gwisgo padiau a helmed bob amser achos mae'n gallu bod yn beryglus.

dre – tref – town

⇐ Beth
⇐ Ble
⇐ Pryd
⇐ Gyda pwy / Efo pwy
⇐ Pam
⇐ Gwybodaeth arall

GWEITHGAREDD 4

Beth amdanat ti?

Rydw i'n mwynhau ...

Rydw i wrth fy modd yn ...

Beth?

Ble?

Pryd?

Gyda pwy? / Efo pwy?

Pam?

Gwybodaeth arall?

GWEITHGAREDD 5

CLWB ... CLYBIAU ... CYMDEITHAS ... CYMDEITHASAU ... TÎM ... TIMAU ...

Wyt ti'n aelod o glwb?
Wyt ti'n aelod o dîm yr ysgol?

cymdeithas, cymdeithasau	society, societies
aelod, aelodau	member,-s
perthyn i	(to) belong to

Wyt ti'n perthyn i glwb?
Wyt ti'n perthyn i dîm yr ysgol?

Rydw i'n cael gwersi carate bob nos Fercher.

Rydw i'n aelod o glwb adar yr ysgol.

Rydw i'n chwarae i dîm yr ysgol.

Rydw i'n mynd i wersi dawnsio.

Rydw i'n perthyn i dîm yr ysgol.

Rydw i'n aelod o fand y sir.

! i / o + treiglad meddal

aelod o **g**lwb carate

chwarae i **d**îm yr ysgol

GWEITHGAREDD 6-7

Pryd mae'r clwb yn cyfarfod?
Pryd ydych chi'n cyfarfod?

Pryd? → TAITH IAITH 1, TUD. 16

unwaith yr wythnos	once a week
unwaith y mis	once a month
unwaith y flwyddyn	once a year
ddwy waith yr wythnos	twice a week
dair gwaith y mis	three times a month
bedair gwaith y flwyddyn	four times a year

Rydw i'n mwynhau mynd i'r clwb gwibgartio achos mae'n hwyl. Rydw i'n dysgu llawer o bethau diddorol – fel sut i yrru'n gyflym ond hefyd sut i yrru'n ddiogel.

Mae dau glwb – un clwb ar gyfer pobl ifanc 10-15 oed, ac un clwb ar gyfer pobl dros 15 oed. Weithiau, rydw i'n mynd ar fy mhen fy hun ond weithiau mae fy nhad i'n dod hefyd.

Rydyn ni'n cyfarfod ddwy waith y mis – ar ddydd Sadwrn.

Rydw i'n mwynhau fy hun yn fawr.

gwibgartio	go-karting
yn ddiogel	safely
fy hun	myself

GWEITHGAREDD 8-13

Wyt ti'n cofio'r giang?

Enw: Huw Jones
Oed: 14
Hoffi: chwaraeon, syrffio'r we
Clybiau/cymdeithasau:
Aelod o glwb pêl-droed Brynbach
Aelod o dîm pêl-droed yr ysgol ac o dîm dan 15 y sir
Aelod o'r clwb ieuenctid
Aelod o glwb cefnogwyr Lerpwl
Mynd i wersi carate

Enw: Aled Williams
Oed: 13
Hoffi: technoleg gwybodaeth, gwylio'r teledu
Clybiau/cymdeithasau:
Aelod o glwb cyfrifiaduron yr ysgol
Aelod o glwb ffilmiau'r ysgol
Aelod o glwb ffotograffiaeth Brynbach
Aelod o'r clwb ieuenctid
Aelod o glwb cefnogwyr Man. Utd.

Enw: Lisa Evans
Oed: 14
Hoffi: chwaraeon - athletau, mynd allan gyda
ffrindiau
Clybiau/cymdeithasau:
Aelod o glwb athletau'r ysgol
Aelod o glwb athletau Brynbach
Aelod o 'Hola', cymdeithas Sbaeneg
Aelod o'r clwb ieuenctid

Enw: Beca James
Oed: 13
Hoffi: technoleg, coginio,
chwarae badminton, sglefrio
Clybiau/cymdeithasau:
Aelod o glwb cyfrifiaduron yr ysgol
Aelod o glwb badminton Brynbach
Aelod o'r clwb ieuenctid
Aelod o fand y sir – canu'r trwmped
Aelod o glwb cefnogwyr Man. Utd.

Wyt ti'n aelod o glwb neu o dîm?
Wyt ti'n perthyn i glwb neu i dîm?

cefnogwr, cefnogwyr   fan,-s

Pa glwb? Pa gymdeithas? Pa dîm?

Beth?

Ble?

Pryd?

Gyda pwy /
Efo pwy?

Pam?

Gwybodaeth
arall?

GWEITHGAREDD 14-15

GWOBR DUG CAEREDIN

Mae'n hwyl!

Mae'n anturus!

Dewch i gyfarfod â phobl!

Mae'n ddiddorol.

Mae'n gyffrous!

Dewch i ddysgu sgiliau!

Dewch i helpu!

Dewch i fwynhau'ch hun!

Pwy sy'n gwneud Gwobr Dug Caeredin?
Pobl ifanc rhwng 14 a 25 oed.

Beth maen nhw'n wneud?
Maen nhw'n gwneud gweithgareddau arbennig.

Pa fath o weithgareddau maen nhw'n wneud?
Wel, mae pedair adran:

1. Adran Gwasanaeth, e.e. helpu pobl.
2. Adran Sgiliau, e.e. gwneud hobi arbennig.
3. Adran Adloniant Corfforol, e.e. gwneud chwaraeon.
4. Adran Taith Antur, e.e. mynd ar daith arbennig.

Beth ydy'r 'wobr'?
Mae tair gwobr: y Wobr Efydd
               y Wobr Arian
               y Wobr Aur

Gwobr Dug Caeredin	Duke of Edinburgh's Award
adran	section
gwasanaeth	service
adloniant corfforol	physical recreation
taith antur	expedition
efydd	bronze
arian	silver
aur	gold

ADRAN 1: GWASANAETH

e.e. gweithio gydag anifeiliaid
gweithio gyda'r gwasanaeth ambiwlans / heddlu
codi arian
gweithio gyda phlant
gweithio gyda'r sgowtiaid neu'r geidiau
dysgu sgiliau chwaraeon i bobl eraill
a mwy ….

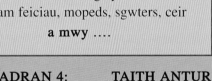

ADRAN 2: SGILIAU

e.e. biliards / snwcer / pŵl
cadw caneris a byjis
pysgota
adeiladu fflôts carnifal
sgiliau syrcas
gwneud dillad, trefnu digwyddiad
gofalu am feiciau, mopeds, sgwters, ceir
a mwy ….

ADRAN 3: ADLONIANT CORFFOROL

e.e. aerobeg
chwaraeon pêl
cadw'n heini
ioga
criced bwrdd
beicio mynydd
hwylio
deifio a snorclo, cerdded
dringo wal
a mwy ….

ADRAN 4: TAITH ANTUR

e.e. cerdded
beicio
teithio mewn cwch neu ganŵ
merlota
gwersylla
a mwy…

cwch	boat
merlota	pony trekking

Cwestiwn	Ateb
Beth hoffet ti wneud? Beth hoffech chi wneud?	Hoffwn i ddysgu sgiliau syrcas. Hoffwn i fynd ar daith antur mewn cwch.
Pam?	achos mae'n hwyl achos mae'n gyffrous achos rydw i'n mwynhau …
Beth hoffet ti ddim wneud? Beth hoffech chi ddim wneud?	Hoffwn i ddim gweithio gydag anifeiliaid. Hoffwn i ddim dringo wal.
Pam?	achos mae'n ddiflas achos dydw i ddim yn mwynhau …

→ **TAITH IAITH 1, TUD. 51, TAITH IAITH 2, TUD. 37, 95, 103**

 tud 47

GWEITHGAREDD 16-21

Y PENWYTHNOS … NOS WENER …
DYDD SADWRN … DYDD SUL …

Beth wnest ti yn ystod y penwythnos?

Dydd Sadwrn

Heddiw, <u>deffrais i</u> am saith o'r gloch. <u>Ces i</u> frecwast da a gwisgais i. Dim teledu heddiw! Yna, es i i'r ysgol erbyn chwarter i wyth i ddal y bws i fynd ar daith antur Gwobr Dug Caeredin.

Cwrddais i â Lyn, Anisa, Raoul a Simon wrth yr ysgol ac aethon ni ar y bws. Roedd pawb ar y bws yn hapus iawn.

Cyrhaeddon ni'r gwersyll am chwarter i naw. Roedd hi'n braf iawn. Roedd hi'n heulog ac yn gynnes.

Yna, cerddon ni. Cerddon ni am ddwy filltir cyn cinio ac yna arhoson ni am hanner awr. Bwyton ni bicnic. Yna, cerddon ni am bum milltir arall!

Aethon ni yn ôl i'r gwersyll ac yna codon ni'r pebyll.

Amser swper, coginiais i basta. Bwytais i fara Ffrengig a ffrwythau hefyd — blasus iawn.

(Addasiad o ddarn yn *Camu at Antur*, tud. 15)

gwersyll	camp
codi'r pebyll	(to) put up tents

deffrais i / dihunais i

gwelais i

yfais i

es i ...

codais i

bwytais i

cerddais i

mwynheuais i

→ **TAITH IAITH 2, TUD. 48, 50**

GWEITHGAREDD 22-23

aethon ni

bwyton ni

yfon ni

cysgon ni

mwynheuon ni

cerddon ni

gwelon ni

→ **TAITH IAITH 2, TUD. 49, 50**

GWEITHGAREDD 24

Roedd ... Roeddwn i ... Roedden ni ...

Roedd hi'n heulog.

Roedden ni'n cael hwyl.

Roedden ni'n canu.

Roeddwn i'n hapus iawn.

Roeddwn i'n gyffrous.

Roedden ni'n hapus.

Roedd hi'n pistyllio. Roedd hi'n bwrw hen wragedd a ffyn.

→ **TAITH IAITH 2, TUD. 56, 62, 80**

GWEITHGAREDD 25

Es i i'r dref brynhawn dydd Sadwrn.
Gwelais i fy ffrind ac aethon ni i'r gêm gyda'n gilydd.
Roedd hi'n braf.
Cawson ni hwyl.

Es i i barti gyda ffrindiau nos Sadwrn.
Bwytais i ... yfais i ... dawnsiais i ... chwaraeais i gemau parti.
Ces i amser da.
Roedd e'n wych.

Beth wnest ti yn ystod y penwythnos?

gyda'n gilydd   efo'n gilydd   *together*

GWEITHGAREDD 26

Beth?

Ble?

Pryd?

Gyda pwy? / Efo pwy?

Pam?

Gwybodaeth arall?

tud 30-36

9

Beth wnest ti yn ystod yr haf ...?

GWEITHGAREDD 27

Welaist ti dy ffrindiau?

Fwytaist ti rywbeth diddorol?

Est ti i rywle diddorol?

Wnest ti rywbeth cyffrous?

tud 32

A: Welaist ti dy ffrindiau yn ystod yr haf?
B: Do, gwelais i fy ffrindiau bob wythnos yn y clwb.
A: Aethoch chi ar drip?
B: Naddo.

A: Fwytaist ti rywbeth diddorol?
B: Do, bwytais i hufen iâ cig moch ac wy. (Yn wir!)

A: Wnest ti rywbeth cyffrous?
B: Naddo, wnes i ddim byd cyffrous iawn, ond mwynheuais i'r gwyliau.

A: Est ti i rywle diddorol?
B: Do, es i i Bwllheli i weld y tonfyrddio. Roedd e'n grêt.
A: Arhosaist ti mewn gwesty?
B: Naddo, arhosais i mewn carafan.

Wel, DO neu NADDO?

→ TAITH IAITH 2, TUD. 51

rhywle	somewhere
rhywbeth	something
tonfyrddio	wakeboarding
aros	(to) stay

GWEITHGAREDD 28-29

Tonfyrddio

Beth ydy tonfyrddio?
Syrffio + eirfyrddio + sglefrfyrddio.

Sut mae tonfyrddio?
Mae'r tonfyrddiwr yn sefyll ar fwrdd arbennig. Mae cwch modur yn tynnu'r tonfyrddiwr dros y môr – fel sgïwr dŵr. Ond, rhaid i'r tonfyrddiwr neidio dros y tonnau a gwneud triciau.

O ble mae tonfyrddio'n dod?
O California, America. Roedd Tony Finn ar y traeth. Roedd e'n aros am y tonnau, ond roedd y môr yn dawel. Gofynnodd e i ffrind mewn cwch modur ei dynnu e – a dyna ni – tonfyrddio.

tonfyrddio	wakeboarding
eirfyrddio	snowboarding
sglefrfyrddio	skateboarding
tonfyrddiwr	wakeboarder
cwch modur	motor boat
tynnu	(to) pull
ton, tonnau	wave,-s
yn dawel	quietly
ei dynnu e	(to) pull him

Siarad am rywun arall

Gwelodd hi ei ffrindiau bob wythnos yn y clwb.
Aethon nhw ddim ar drip.

Bwytodd hi hufen iâ cig moch ac wy. (Yn wir!)

Aeth o i Bwllheli i weld y tonfyrddio. Arhosodd o mewn carafan.

tud 30

→ TAITH IAITH 2, TUD. 46-50

GWEITHGAREDD 30-35

O ble mae hufen iâ'n dod?

Does neb yn siŵr, ond mae rhai pobl yn dweud …

- Roedd Alexander Fawr (356–323 C.C.) yn hoffi hufen iâ. Roedd dynion Alexander yn rhedeg i fyny'r mynydd i nôl eira ac yna roedden nhw'n rhoi'r eira mewn ffosydd arbennig i'w gadw'n oer. Roedd Alexander yn hoffi mêl gyda'r 'eira' – dyna'r 'hufen iâ'.

- Yn y ganrif gyntaf, roedd dynion Nero, hefyd, yn rhedeg i fyny'r mynydd i nôl eira ac iâ neu rew i'w fwyta. Roedd e'n cymysgu ffrwythau a mêl gyda'r eira.

- Roedd pobl China'n mwynhau hufen iâ a daeth Marco Polo â'r rysáit i Ewrop yn y ddeuddegfed ganrif.

- Yn y 1600au roedd cogydd Siarl 1 o Loegr yn gwneud hufen iâ. Dwedodd Siarl wrth y cogydd, 'Paid rhoi'r rysáit i neb'. Ond bu Siarl farw a dwedodd y cogydd wrth bobl eraill a daeth hufen iâ'n boblogaidd yn Ewrop – gyda'r bobl 'bwysig'.

- Yn 1660, roedd pawb yn gallu mwynhau hufen iâ. Yn y caffi cyntaf ym Mharis, y *Café Procope*, cymysgodd Procopio laeth, hufen, menyn ac wyau i wneud hufen iâ.

(C.C.) Cyn Crist	(B.C.) Before Christ
nôl	(to) fetch
ffos, ffosydd	ditch,-es
cadw	(to) keep
mêl	honey
y ganrif gyntaf	the first century
y ddeuddegfed ganrif	the twelfth century
Siarl	Charles
cogydd	cook
rysáit	recipe
bu … farw	… died
cymysgu	(to) mix

FFOBIA ... FFOBIÂU ... OFN ... OFNAU ... HELP!!!

Mae ofn ... arna i

→ FFURFIAU ERAILL TUD. 79

prysur	busy
tawel	quiet
ofnus	easily frightened

neidr, nadroedd

pry cop, pryfed cop, corryn, corynnod

cath, cathod

uchder

gwenynen, gwenyn

Llyfrgell

tywyllwch

tarw, teirw

lleoedd tawel

llygod, llygod mawr

ci, cŵn

lleoedd prysur

tud 105

Mae ofn ... arna i / Does dim ofn ... arna i

Mae ofn nadroedd arna i.

Mae ofn dŵr arna i.

Mae ofn botymau arna i!

Does dim ofn llygod arna i ond mae ofn athrawon Cymraeg arna i!

Cwestiwn	Ateb
Oes ofn arnat ti? Oes ofn arnoch chi?	Oes. / Nac oes.
Oes ofn rhywbeth arnat ti? Oes ofn rhywbeth arnoch chi?	Oes, mae ofn cŵn arna i. Nac oes, does dim ofn dim byd arna i.
Oes ofn nadroedd arnat ti? Oes ofn nadroedd arnoch chi?	Oes, mae ofn nadroedd arna i. Nac oes, does dim ofn nadroedd arna i, ond mae ofn dŵr arna i.
Ofn beth sy arnat ti? Ofn beth sy arnoch chi?	Mae ofn botymau arna i. Mae ofn dŵr arna i.

GWEITHGAREDD 36

Mae ofn … **arna i.**	*I'm frightened of …*
Mae ofn … **arnat ti.**	*You're frightened of …*
Mae ofn … **ar John.**	*John's frightened of …*
Mae ofn … **arno fe / arno fo.**	*He's frightened of …*
Mae ofn … **ar Jane.**	*Jane's frightened of …*
Mae ofn … **arni hi.**	*She's frightened of …*
Mae ofn … **arnon ni.**	*We're frightened of …*
Mae ofn … **arnoch chi.**	*You're frightened of …*
Mae ofn … **ar y plant.**	*The children are frightened of …*
Mae ofn … **arnyn nhw.**	*They're frightened of …*

→ FFURFIAU ERAILL TUD. 79

Does dim ofn … **arna i.**	*I'm not frightened of …*
Does dim ofn … **arnat ti.**	*You aren't frightened of …*
Does dim ofn … **ar John.**	*John isn't frightened of …*
Does dim ofn … **arno fe / arno fo.**	*He isn't frightened of …*
Does dim ofn … **ar Jane.**	*Jane isn't frightened of …*
Does dim ofn … **arni hi.**	*She isn't frightened of …*
Does dim ofn … **arnon ni.**	*We aren't frightened of …*
Does dim ofn … **arnoch chi.**	*You aren't frightened of …*
Does dim ofn … **ar y plant.**	*The children aren't frightened of …*
Does dim ofn … **arnyn nhw.**	*They aren't frightened of …*

GWEITHGAREDD 37-38

H–E–L–P!!

BLE MAE UN DEG TRI!!

Bobl bach, mae Americanwyr yn bobl nerfus …
Mae ofn y rhif 13 ar lawer o bobl America! Dyna pam does dim llawr rhif 13 mewn rhai adeiladau tal. Mae'r lifft yn mynd i fyny o lawr 12 i lawr 14.

Ond beth am y bobl yng ngharchar Rhuthun amser maith yn ôl? Roedd dwy gell rhif 13 yno!

llawr	*floor*
rhif	*number*
adeilad, adeiladau	*building,-s*
yng ngharchar …	*in … prison*
amser maith yn ôl	*a long time ago*
cell	*cell*
bu e farw	*he died*
cafodd e ei eni	*he was born*
cyn canol nos	*before midnight*

Roedd Arnold Schönberg yn ysgrifennu cerddoriaeth.
Roedd ofn y rhif 13 arno fe.
OND …
cafodd e ei eni ar Fedi 13, 1874 a bu farw ar Orffennaf 13, 1951 – 13 munud cyn canol nos. *Spooky*!

Roedd ofn wyau ar Alfred Hitchcock.

Rhif 13 ... lliw gwyrdd ... cath ddu ... cath wen ...

Wyt ti'n ofergoelus?

LWCUS ... NEU ... ANLWCUS?

Mae 13 yn ...

Mae cath ddu yn ...

Mae gwisgo dillad gwyrdd yn ...

GWEITHGAREDD 39

Wyt ti'n ofergoelus?

Rydw i'n eitha ofergoelus.

Rydw i'n credu bod rhai pethau'n lwcus a rhai pethau'n anlwcus.

Dydw i ddim yn ofergoelus o gwbl.

Dydw i ddim yn credu mewn ofergoelion.

Mae ofergoelion yn wirion!

Rydw i'n ofergoelus iawn.

Beth wyt ti'n gredu?
Beth wyt ti'n feddwl?

Rydw i'n credu bod gweld cath ddu yn lwcus. Rydw i'n meddwl bod cerdded o dan ysgol yn anlwcus iawn.

ofergoelus	superstitious
ysgol	ladder
credu	(to) believe
ofergoelion	superstitions
gwirion	silly

Dydw i ddim yn credu bod gweld cath ddu yn lwcus. Dydw i ddim yn meddwl bod cerdded o dan ysgol yn anlwcus.

GWEITHGAREDD 40-41

14

Rhai ofergoelion

Mae breuddwydio am wenyn yn lwcus.
Mae gwenynen ar eich pen yn dangos bod arian yn dod. *

Os ydy cath yn tisian – mae hi'n mynd i fwrw glaw.
Os ydy cath yn tisian dair gwaith, mae'r teulu'n mynd i gael annwyd. *

Yn Twrci, mae sefyll rhwng dau berson gyda'r un enw yn lwcus ac os oes bwyd yn syrthio ar eich dillad chi pan rydych chi'n bwyta, bydd rhywun yn dod i'ch tŷ chi.

Yn Japan, mae'r rhif 4 yn anlwcus achos mae'r gair Japaneg am '4' yn swnio fel y gair am 'farw'.

Fel arfer, does dim llawr 4 nac ystafell 4 mewn gwestai.

Mae pryfyn yn syrthio i mewn i'ch diod chi'n lwcus (i ti!). *

Ym Mhrydain, mae cath ddu yn lwcus.
OND …
Yn America mae cath ddu yn anlwcus ac mae cathod gwyn a llwyd yn lwcus.

breuddwydio	(to) dream
gwenynen, gwenyn	bee,-s
pryfyn	fly
os	if
tisian	(to) sneeze
annwyd	a cold
marw	(to) die
yr un enw	the same name

Yn y Caribî mae bananas yn lwcus iawn. *

Yn China, mae coch yn anlwcus.

* Allan o'r *Dictionary of Superstitions*

15

Y FAMPIR

neb	no-one	mellten, mellt	lightning
ers blynyddoedd	for years	taran, taranau	thunder
llwyn	shrub	arch	a coffin
symud	(to) move	garlleg	garlic
rhyfedd	strange	gwddw / gwddwg	neck
amlen	envelope	fel yr un yna	like that one
roedd … wedi gadael	… had left		

Mae Huw yn byw yn 12 Y Stryd Fawr, Brynbach. Mae e'n dŷ hyfryd, gyda lawnt gwyrdd hardd a gardd flodau hardd. Ond yn 13 Y Stryd Fawr, mae problemau mawr. Mae'r ardd a'r tŷ'n edrych yn ofnadwy. Mae'r tŷ'n wag. Does neb yn byw yma ers blynyddoedd.

Un diwrnod – Dydd Gwener 13 Hydref – ar ôl yr ysgol - daeth fan fawr i'r stryd. Stopiodd hi tu allan i Rif 13. Roedd Huw yn gwylio'r fan.

Roedd hi'n hanner awr wedi pedwar ar nos Wener ac roedd Lisa, Beca ac Aled yn mynd i dŷ Huw i weld ffilm arswyd.

Ble mae Huw, tybed?

Mae e'n gwneud ei waith cartref, efallai.

Hy! Dydw i ddim yn meddwl. Mae hi'n nos Wener.

Pssssssst!

Yn sydyn, clywon nhw sŵn. Roedd ofn ar Beca.

Beth oedd y sŵn yna?

Dydw i ddim yn siŵr. Roedd e'n dod o'r llwyn yna.

O naaaaa, neidr efallai. Mae ofn nadroedd arna i.

Pwy oedd yn cuddio yn y llwyn ond Huw. Roedd e'n gwylio'r bobl yn symud i mewn i Rif 13.

Paid â phoeni, Beca. Does dim neidr yma.

Huw!?!? Beth wyt ti'n wneud?

Ewch i'r tŷ – yn gyflym.

Roedd Huw yn poeni achos roedd y bobl yn rhyfedd.

Rhif 13 … Mae pobl yn symud i mewn.

O, dyna neis!

Nac ydy, dydy e ddim yn neis o gwbl. Mae'r bobl yn *spooky* iawn. Maen nhw'n cario dillad hir du i mewn i'r tŷ.

Dangosodd Huw amlen i'r giang. Roedd y postmon wedi gadael yr amlen yn Rhif 12 – tŷ Huw.

A'r bore yma daeth yr amlen yma i'n tŷ ni – *Mr a Mrs Alucard 13 Y Stryd Fawr Brynbach.*

Pobl o Ffrainc efallai?

… neu o Transylvania? Darllena Alucard y ffordd arall – D-R-A-C-U-L-A.

Paid bod yn wirion! Maen nhw'n bobl normal – fel ti a fi, rydw i'n siŵr. Dewch i weld.

Aethon nhw allan i wylio'r bobl. Ond yn sydyn, roedd mellt a tharanau …

O na, mae ofn mellt arna i.

Mellt … Dydd Gwener 13, Dracula … dillad du hir.

O help. Rydw i eisiau mynd adre.

… ac yna daeth bocs mawr allan o'r fan. Roedd y bocs yn edrych fel arch.

Aha – dyna ni.

O diar, mae'r bocs yna'n edrych fel …

… arch.

O, mae ofn arna i. Rydw i'n mynd i mewn i'r tŷ!

Aeth Lisa, Aled a Beca yn ôl i'r gegin. Ond ble oedd Huw?

Mae hyn yn rhyfedd.

Ble mae Huw nawr?

Ar ôl rhai munudau, daeth Huw i mewn i'r gegin. Roedd e'n edrych yn rhyfedd iawn achos roedd e'n gwisgo garlleg o gwmpas ei wddw.

Beth wyt ti'n wisgo?

Garlleg. Dyma chi. Garlleg i chi – dydy fampirs ddim yn hoffi garlleg.

Fampirs?!?!

Sshh, mae rhywun wrth ddrws y ffrynt.

17

Roedd rhywun wrth ddrws y ffrynt. Roedd y pedwar ffrind yn gallu clywed mam Huw yn siarad â dyn wrth ddrws y ffrynt. Roedd y dyn yn chwilio am gaffi.

Wel, does dim caffi yma. Ond mae tŷ bwyta gwych yn y stryd – *The Garlic Steak-out*. Maen nhw'n gwneud stêcs bendigedig ac maen nhw'n defnyddio garlleg yn eu bwyd.

Roedd Huw yn gwybod nawr – fampir oedd y dyn ... ond ... doedd mam Huw ddim yn gwybod hynny!

Helo. Rydyn ni wedi symud i mewn i Rif 13.

O helo.

Oes caffi yn y stryd yma?

O, dydw i ddim yn hoffi stêcs – na garlleg!

Dyna chi – fampir. Dydy fampirs ddim yn hoffi stêcs – na garlleg!

Sshh.

Dewch i mewn. Mae amlen yma i chi.

Daethon nhw i mewn i'r gegin a rhoiodd mam Huw amlen i'r dyn. Edrychodd y dyn ar yr amlen a chwerthin.

Dyma chi, Mr ... mmm ... Alucard.

Pwy? O na, nid Mr Alucard ydw i. John Evans ydw i.

John Evans?!?!?

Roedd yr enw ar yr amlen yn anghywir. John Evans oedd enw'r dyn ond roedd ganddo fo siop cardiau, jôcs a gwisgoedd ffansi yn y dre. Enw'r siop oedd Allcards.

Ie, ond Allcards ydy enw fy siop. Mae'r enw a'r cyfeiriad yna'n anghywir.

Siop?

Mae gen i siop yn y dref. Rydyn ni'n gwerthu cardiau a phethau i bartïon – gwisgoedd ffansi, triciau, jôcs ...

Gwisgoedd ffansi?

Wrth gwrs, gwisgoedd o bob math – cowbois ... gorilas ...

Gwisg Dracula?

Wrth gwrs – ac arch Dracula.

Ble ydych chi'n cadw'r gwisgoedd yma?

Ond does gen i ddim gwisg ffansi fel yr un yna. Wyt ti'n mynd i barti gwisg ffansi?

Yn y siop, fel arfer, ond mae gen i rai props a gwisgoedd yn y tŷ hefyd.

Pwyntiau pwysig

mwynhau	Rydw i'n mwynhau mynd allan.	*I enjoy going out.*
rydw i wrth fy modd	Rydw i wrth fy modd yn dawnsio.	*I love dancing.*

Cwestiynau pwysig

Beth?	bob dydd, bob nos, bob wythnos	*every day, every night, every week*
Ble?	yn y sinema, yn y ganolfan hamdden	*in the cinema, in the leisure centre*
Pryd?	unwaith yr wythnos	*once a week*
	ddwy waith yr wythnos	*twice a week*
	dair gwaith y mis	*three times a month*
	bedair gwaith y flwyddyn	*four times a year*
Gyda pwy?	ar fy mhen fy hun	*by myself*
Efo pwy?	ar dy ben dy hun	*by yourself*
	ar ei ben ei hun	*by himself*
	ar ei phen ei hun	*by herself*
	ar ein pen ein hunain	*by ourselves*
	ar eich pen eich hunain	*by yourselves*
	ar eu pen eu hunain	*by themselves*
Pam?	**achos** rydw i'n mwynhau …	*because I enjoy …*
	achos mae'n hwyl	*because it's fun*
	achos mae'n ddiflas	*because it's boring*
	achos mae'n gas gen i … / mae'n gas gyda fi	*because I hate …*

Beth hoffet ti wneud?	***What would you like to do?***
Hoffwn i ddysgu sut i ofalu am geir.	*I'd like to learn how to look after cars.*
Hoffwn i ddim gweithio gydag anifeiliaid.	*I wouldn't like to work with animals.*

aelod o	Rydw i'n aelod o'r band.	*I'm a member of the band.*
perthyn i	Rydw i'n perthyn i'r band.	*I belong to the band.*

Y Gorffennol

Y Gorffennol	Cwestiynau	Negyddol
Gwelais i	Welais i?	Welais i ddim
Gwelaist ti	Welaist ti?	Welaist ti ddim
Gwelodd e / o / hi	Welodd e / o / hi?	Welodd e / o / hi ddim
Gwelon ni	Welon ni?	Welon ni ddim
Gweloch chi	Weloch chi?	Weloch chi ddim
Gwelon nhw	Welon nhw?	Welon nhw ddim
	Atebion: DO / NADDO	

Roedd

Roeddwn i	Roeddwn i'n teimlo'n hapus.
Roeddet ti	Roeddwn i'n canu.
Roedd e / o / hi	
Roedd John	Roedd hi'n braf.
Roedd y plant	Roedd hi'n dywyll.
Roedden ni	
Roeddech chi	Roedden ni'n cael amser da.
Roedden nhw	Roedden nhw'n dweud jôcs.

Oes ofn ar ...?   Oes.   Nac oes.

Mae ofn ar ...

Does dim ofn ar ...   → **FFURFIAU ERAILL, TUD. 79**

Mae ofn ... **arna i.**	*I*'m frightened of ...
Mae ofn ... **arnat ti.**	*You*'re frightened of ...
Mae ofn ... **ar John.**	*John*'s frightened of ...
Mae ofn ... **arno fe / arno fo.**	*He*'s frightened of ...
Mae ofn ... **ar Jane.**	*Jane*'s frightened of ...
Mae ofn ... **arni hi.**	*She*'s frightened of ...
Mae ofn ... **arnon ni.**	*We*'re frightened of ...
Mae ofn ... **arnoch chi.**	*You*'re frightened of ...
Mae ofn ... **ar y plant.**	*The children* are frightened of ...
Mae ofn ... **arnyn nhw.**	*They*'re frightened of ...

Does dim ofn ... **arna i.**	*I*'m not frightened of ...
Does dim ofn ... **arnat ti.**	*You* aren't frightened of ...
Does dim ofn ... **ar John.**	*John* isn't frightened of ...
Does dim ofn ... **arno fe / arno fo.**	*He* isn't frightened of ...
Does dim ofn ... **ar Jane.**	*Jane* isn't frightened of ...
Does dim ofn ... **arni hi.**	*She* isn't frightened of ...
Does dim ofn ... **arnon ni.**	*We* aren't frightened of ...
Does dim ofn ... **arnoch chi.**	*You* aren't frightened of ...
Does dim ofn ... **ar y plant.**	*The children* aren't frightened of
Does dim ofn ... **arnyn nhw.**	*They* aren't frightened of ...

Rydw i'n meddwl bod ... / Rydw i'n credu bod ...	*I think that ... / I believe that ...*
Rydw i'n meddwl bod 13 yn anlwcus.	*I think that 13 is unlucky.*
Rydw i'n credu bod ofergoelion yn wirion!	*I believe that superstitions are stupid!*

GWEITHGAREDD 42

2. Iechyd da!

Yn yr uned yma, rwyt ti'n mynd i ddangos i bobl eraill sut i fyw'n iach, e.e. rwyt ti'n mynd i wneud:

- sgets
- rhaglen fideo
- hysbyseb
- pamffled

Gallet ti

- roi gwybodaeth ar y we
- trefnu Diwrnod Iach yn yr ysgol

Sut wyt ti'n teimlo fel arfer?

yn hapus?
yn ddiflas?
yn llawn bywyd?
wedi blino?
yn iach?
yn grêt?
yn afiach?
yn ofnadwy?

teimlo	(to) feel
yn ddiflas	fed up, miserable
yn llawn bywyd	full of life
yn iach	healthy
yn afiach	unhealthy
yn hwyr	late
yn gynnar	early
fel	such as, like
llysiau	vegetables
dweud celwydd	(to) tell lies

Pam, tybed?

Rydw i'n llawn bywyd achos rydw i'n cysgu am wyth awr bob nos.

Rydw i'n teimlo'n iach achos rydw i'n bwyta bwyd iach fel ffrwythau a llysiau.

Rydw i'n hapus fel arfer achos rydw i'n mwynhau mynd i'r ysgol - mae'r gwaith yn ddiddorol ac rydw i wrth fy modd yn gwneud fy ngwaith cartref (ond rydw i'n dweud celwydd weithiau!).

GWEITHGAREDD 1

Sut mae Dougie Diog yn teimlo, tybed?

Mae e'n teimlo'n ... achos ...

Mae sut rwyt ti'n teimlo'n dibynnu ar lawer o bethau:

- Wyt ti'n hapus gyda sut rwyt ti'n edrych?
- Wyt ti'n ymlacio digon?
- Wyt ti'n cysgu digon?
- Wyt ti'n bwyta bwyd iach?
- Wyt ti'n ymarfer digon?

dibynnu ar	(to) depend on
digon	enough
ymlacio	(to) relax
ymarfer	(to) exercise, work out

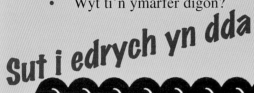

Sut i edrych yn dda

brwsio	(to) brush	ymolchi	(to) wash oneself
cribo	(to) comb	bwyd iach	healthy food
golchi	(to) wash	bwyd afiach	unhealthy food
bwyta	(to) eat	dŵr	water
cael bath	(to) have a bath	powdr	powder
cael cawod	(to) have a shower	diarogleuwr	deodorant
cysgu	(to) sleep	siampŵ	shampoo
defnyddio	(to) use	eli	cream
gofalu am	(to) look after, (to) care for	eli haul	sun cream

Rhaid i ti frwsio **dy w**allt bob bore.
Rhaid i chi frwsio **eich g**wallt bob bore.

Brwsia **dy w**allt bob bore.
Brwsiwch **eich g**wallt bob bore.

GWEITHGAREDD 2

Rhaid i ti beidio bwyta bwyd afiach.
Rhaid i chi beidio bwyta bwyd afiach.

Paid bwyta bwyd afiach.
Peidiwch bwyta bwyd afiach.

→ TAITH IAITH 1, TUD. 65-6

GWEITHGAREDD 3

Sut i edrych yn dda?
Beth am siarad am hyn mewn grŵp?

Beth am Dougie Diog?

Rhaid iddo fe frwsio ei wallt bob bore.
Rhaid iddo fo frwsio ei wallt bob bore.

Beth am Dolores Ddiog?

Rhaid iddi hi frwsio ei gwallt bob bore.
Rhaid iddi hi olchi ei chroen yn dda.
Rhaid iddi hi beidio ysmygu.

Beth arall?
Beth am siarad am hyn mewn grŵp?

dy (+ treiglad meddal) ... (di)	eich ... (chi)
dy wallt (di)	eich gwallt (chi)
dy wyneb (di)	eich wyneb (chi)
dy draed (di)	eich traed (chi)

tud 91

ei (+ treiglad meddal) ... (e / o)	ei (+ treiglad llaes) ... (hi)
ei wallt (e / o)	ei gwallt (hi)
ei groen (e / o)	ei chroen (hi)
ei draed (e / o)	ei thraed hi (hi)

tud 91

DIWRNOD GWALLT GWIRION
– Problem gyda'r gwallt?

Mae rhai pobl yn dweud:

- Defnyddia ddŵr glaw i olchi dy wallt pan mae'r lleuad yn llawn.

- Defnyddia ddŵr a finegr i rinsio dy wallt.

- Ar ôl golchi dy wallt, defnyddia *mayonnaise* mewn ychydig o ddŵr ac ychydig o siampŵ ar dy wallt. Yna, rinsia dy wallt eto.

- Defnyddia gwrw i olchi dy wallt.

- Cura wy a'i rwbio i mewn i'r gwallt. Ar ôl 5 munud, rinsia dy wallt.

- Mae defnyddio dŵr a sudd lemwn yn dda iawn ar gyfer gwallt golau!

lleuad	moon
llawn	full
rinsio	(to) rinse
cwrw	beer
curo	(to) beat

Y treiglad meddal	Y treiglad meddal
Defnyddia **dd**ŵr oer.	Defnyddiwch **dd**ŵr oer.
Bwyta **f**wyd iach.	Bwytwch **f**wyd iach.
Rhwbia **f**anana dros dy wyneb.	Rhwbiwch **f**anana dros eich wyneb.

tud 52

GWEITHGAREDD 4-5

23

WYT TI'N YMLACIO DIGON?

Sut wyt ti'n ymlacio?

anghofio	(to) forget	mynd ar y rhyngrwyd	(to) go on the internet
cael bath	(to) take a bath	chwarae gêm cyfrifiadur	(to) play a computer game
gwneud ioga	(to) do yoga	gwylio'r teledu	(to) watch the television
darllen	(to) read	gwrando ar gerddoriaeth	(to) listen to music
cysgu	(to) sleep	mynd allan gyda ffrindiau	(to) go out with friends
mynd am dro	(to) go for a walk	mynd i'r ganolfan hamdden	(to) go to the leisure centre
marchogaeth	(to) go horse riding	mynd â'r ci am dro	(to) take the dog for a walk

Sut wyt ti'n ymlacio?

GWEITHGAREDD 6-8

WYT TI'N CYSGU DIGON?

Mae cysgu'n bwysig iawn! Mae rhai pobl yn dweud bod noson dda o gwsg mor bwysig â bwyta'n iach ac ymarfer!

Mae'n dda i'r corff.

Mae 7 – 8 awr o gwsg bob nos yn dda i ti.

Wyt ti'n cael problem cysgu?
Wyt ti'n mynd i gysgu'n hwyr bob nos?

Beth am …
- yfed diod boeth
- mynd am dro cyn mynd i'r gwely
- mynd i gael bath cynnes
- darllen
- chwarae cerddoriaeth ymlaciol, dawel

neu … mae rhai pobl yn dweud …
- bwyta fanana cyn mynd i'r gwely – mae'n help i gysgu

OND cyn mynd i'r gwely
- dim gwylio ffilm gyffrous
- dim bwyta pryd mawr o fwyd
- dim te na choffi
- dim cweryla gyda dy deulu na dy ffrindiau

NOS DA!

GWEITHGAREDD 9

WYT TI'N BWYTA BWYD IACH?

Bwyta'n iach

Mae rhai pobl yn dweud:
Mae cnoi garlleg yn
iach!

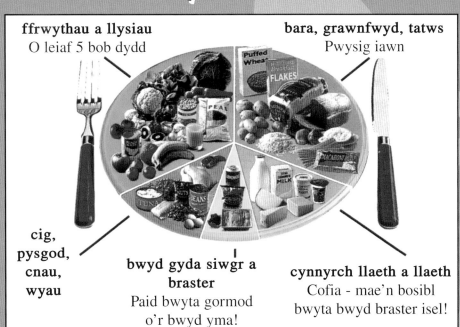

ffrwythau a llysiau
O leiaf 5 bob dydd

bara, grawnfwyd, tatws
Pwysig iawn

cig, pysgod, cnau, wyau

bwyd gyda siwgr a braster
Paid bwyta gormod o'r bwyd yma!

cynnyrch llaeth a llaeth
Cofia - mae'n bosibl bwyta bwyd braster isel!

o leiaf	at least
grawnfwyd	cereal
cynnyrch	products
braster isel	low fat
braster	fat

Y NEGES BWYSIG

- mwy o lysiau, ffrwythau a ffibr
- llai o fraster
- llai o siwgr a halen

MWY O + treiglad meddal

mwy o **l**ysiau	mwy o **f**oron
mwy o ffrwythau	mwy o **f**ananas
mwy o **f**wyd da	mwy o **b**asta

LLAI O + treiglad meddal

llai o **f**raster	llai o **g**ig moch
llai o siwgr	llai o **g**acennau
llai o halen	llai o **g**reision

Bwyd iach?

Mae Michel Lotito, neu Henri Mangetout, yn dod o Grenoble yn Ffrainc.
Mae e'n hoffi bwyta metel – tua 900 gram o fetel bob dydd.
OND …
… mae bananas ac wyau wedi berwi yn gwneud Michel yn sâl!
Druan!

GWEITHGAREDD 10-12

wyau wedi berwi	boiled eggs
gwneud … yn sâl	(to) make … ill / sick
druan!	poor thing!

Wyt ti'n bwyta'n iach?

Ydw, wrth gwrs!
Rydw i'n bwyta llawer o ffrwythau bob dydd.

Wel, mmm, ydw a nac ydw.
Rydw i'n ceisio bwyta'n iach, ond rydw i'n hoffi siocled!

A bod yn onest, nac ydw.
Rydw i'n bwyta gormod o sothach!
Rydw i'n yfed gormod o duniau pop.

PRYD?

i frecwast	for breakfast
i ginio	for lunch
i de	for tea
i swper	for supper
canol dydd	mid-day
amser brecwast	breakfast time
amser cinio	lunchtime
amser te	tea time
amser swper	supper time

Mwy o afalau

Mae rhai pobl yn meddwl:

Mae bwyta afalau yn helpu'r croen a'r gwallt – ac maen nhw'n iach hefyd!

o + treiglad meddal

gormod o	gormod o **f**raster	*too much fat*
digon o	digon o **l**ysiau	*plenty of vegetables*
ychydig o	ychydig o **g**ig	*a little meat*
tipyn bach o	tipyn bach o **g**ig	*a little meat*
cymaint o	cymaint o **f**wyd iach â phosib	*as much healthy food as possible*
darn o	darn o **f**ara	*a piece of bread*
darn bach o	darn bach o **g**acen	*a small piece of cake*
gwydraid o	gwydraid o **l**aeth	*a glass of milk*

GWEITHGAREDD 13-15

Problem!

Heddiw, mae arbenigwyr yn poeni. Pam? Achos dydy pobl ddim yn bwyta bwyd iach.
Maen nhw'n bwyta sothach! Maen nhw'n bwyta gormod o fraster, siwgr a halen. Maen nhw'n bwyta gormod o fwyd cyflym.

arbenigwr, arbenigwyr	*expert,-s*
sothach	*rubbish*

Wel, wyt ti'n bwyta'n iach?

OND ...

... beth am RHWNG prydau bwyd?

Mae eisiau bwyd arna i.

Mae syched arna i.

→ **FFURFIAU ERAILL, TUD. 79**

Wyt ti'n teimlo stres weithiau? Mae rhai pobl yn dweud bod siocled, caffeine, siwgr ac alcohol yn creu stres!

Weithiau, mae eisiau bwyd arna i yn ystod yr egwyl. Felly rydw i'n bwyta ...

Weithiau mae syched arna i yn y prynhawn. Felly, rydw i'n yfed ...

pan = *when*
Mae syched arna i **pan** rydw i'n gweithio.

pryd? = *when?*
Pryd wyt ti'n gweithio?

GWEITHGAREDD 16

→ **TAITH IAITH 3, TUD. 19**

Cwestiwn	Ateb
Oes eisiau bwyd **arnat ti** yn ystod yr egwyl?	Oes, weithiau. Oes, mae eisiau bwyd arna i yn ystod yr egwyl.
Oes eisiau bwyd **arnoch chi** ar ôl yr ysgol?	Nac oes. Nac oes, does dim eisiau bwyd arna i fel arfer.
Oes syched **arnat ti** yn yr ysgol weithiau? Oes syched **arnoch chi** yn y nos?	Oes, mae syched arna i bob prynhawn. Nac oes, does dim syched arna i fel arfer.

Mae **Mae eisiau bwyd arna i** ac **Mae syched arna i** yn dilyn yr un patrwm â **Mae ofn arna i**.

Mae eisiau bwyd arno fo.

Mae eisiau bwyd arni hi drwy'r amser.

Mae syched arnon ni yn y wers chwaraeon fel arfer.

Mae eisiau bwyd arnon ni.

Mae syched arnyn nhw.

GWEITHGAREDD 17

Bwyta'n iach – tipyn o gyngor

Dylwn i fwyta mwy o ffrwythau.	*I should eat more fruit.*
Dylet ti fwyta llai o siwgr.	*You should eat less sugar.*
Dylai John fwyta mwy o lysiau.	*John should eat more vegetables.*
Dylai e / o brynu llai o siocled.	*He should buy less chocolate.*
Dylen ni gael brecwast bob dydd.	*We should have breakfast every day.*
Dylech chi roi llai o halen ar y bwyd.	*You should put less salt on the food.*
Dylen nhw ddefnyddio llai o siwgr ar y bwyd.	*They should use less sugar on the food.*

GWEITHGAREDD 18-19

Y negyddol = treiglad meddal + ddim

Ddylwn i ddim bwyta gormod o greision.	*I shouldn't eat too many crisps.*
Ddylet ti ddim bwyta gormod o siwgr.	*You shouldn't eat too much sugar.*
Ddylai John ddim bwyta sothach.	*John shouldn't eat rubbish.*
Ddylai e / o ddim prynu cymaint o siocled.	*He shouldn't buy so much chocolate.*
Ddylen ni ddim colli brecwast bob dydd.	*We shouldn't skip breakfast every day.*
Ddylech chi ddim rhoi halen ar y bwyd.	*You shouldn't put salt on the food.*
Ddylen nhw ddim defnyddio siwgr ar y bwyd.	*They shouldn't use sugar on the food.*

GWEITHGAREDD 20-21

Mae'r arbenigwyr yn dweud:

- **Dylai pawb fwyta** 5 darn o ffrwythau a llysiau bob dydd.
- **Dylai pawb yfed** digon o ddŵr.
- **Dylai pawb fwyta** diet cytbwys, e.e.

carbohydradau:	bara, tatws, pasta, reis
braster:	llaeth, caws, menyn – ond dim gormod!
proteinau:	pysgod, cig, cnau, wyau, llysiau
fitaminau a mineralau:	ffrwythau a llysiau, llaeth
ffibr:	bananas, bara brown, creision bran

- **Dylech chi fwyta** mwy o fara, grawnfwyd, ffa, tatws.
- **Dylai pawb ddarllen** y label cyn agor tun neu becyn o fwyd – er mwyn gweld faint o halen, siwgr a braster sy yn y bwyd.

- **Ddylech chi ddim bwyta** cymaint o siwgr a halen.
- **Ddylech chi ddim colli** brecwast.
- **Ddylech chi ddim rhoi** gormod o fenyn a margarîn ar eich bara.

arbenigwr, arbenigwyr	expert,-s
cytbwys	balanced
braster	fat
grawnfwyd	cereal

28

WYT TI'N YMARFER DIGON?

Cwestiwn	Ateb
Pa mor aml wyt ti'n ymarfer?	Rydw i'n ymarfer unwaith yr wythnos / ddwy waith yr wythnos / bum gwaith yr wythnos / bob dydd / bob nos / yn rheolaidd Dydw i ddim yn ymarfer yn aml iawn / yn rheolaidd Dydw i byth yn ymarfer.
Pa mor aml wyt ti'n gwneud chwaraeon?	Rydw i'n chwarae hoci i dîm yr ysgol bob wythnos.
Pa mor heini wyt ti?	Rydw i'n eitha heini. Rydw i'n heini iawn. Rydw i'n heini dros ben. Rydw i'n andros o heini. Dydw i ddim yn heini o gwbl.

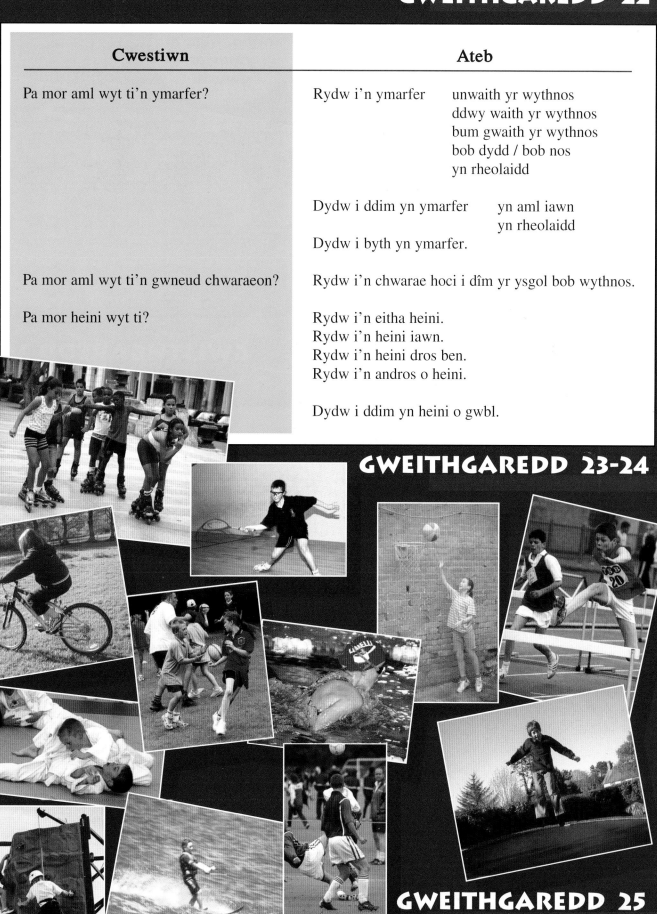

Ymarfer – tipyn o gyngor

Dylet ti feicio yn lle mynd ar y bws.

Dylech chi gerdded i fyny'r grisiau yn lle mynd yn y lifft.

Dylai pawb nofio. Mae'n ymarfer gwych.

Ddylet ti ddim gwylio'r teledu drwy'r nos.

Ddylai pobl ifanc ddim defnyddio'r cyfrifiadur drwy'r amser.

Mewn disgo, ddylai pobl ddim eistedd - dylen nhw ddawnsio!

GWEITHGAREDD 26

Beth arall?

drwy'r + amser			
drwy'r amser	*all the time*	drwy'r penwythnos	*all weekend*
drwy'r dydd	*all day*	drwy'r wythnos	*all week*
drwy'r nos	*all night*	drwy'r flwyddyn	*all year*

Dydy ymarfer ddim yn anodd!

Beth am chwarae dy hoff gryno ddisgiau – a dawnsio!

Cer â'r ci am dro.

Defnyddia fideo i ymarfer.

Paid dal y bws. Cerdda – yn gyflym.

Ceisia ymarfer yn y tŷ – rheda i fyny'r grisiau, cerdda yn gyflym o gwmpas yr ardd!

GWEITHGAREDD 27-28

PERYGLUS ... PERYGLUS ... PERYGLUS

ysmygu	(to) smoke
yfed alcohol	(to) drink alcohol
yfed gormod	(to) drink too much
cymryd cyffuriau	(to) take drugs

GWEITHGAREDD 29

SIARAD MEWN GRŴP

ysmygu	(to) smoke
yfed alcohol	(to) drink alcohol
yfed gormod	(to) drink too much
cymryd cyffuriau	(to) take drugs
methu stopio	(to) be unable to stop
lladd	(to) kill
eich gwneud chi'n sâl	(to) make you ill
peryglus	dangerous
gwirion/twp	stupid
ofnadwy	awful
iawn	O.K.

Beth wyt't i'n feddwl?

Rydw i'n meddwl bod gormod o bobl yn ysmygu.

Rydw i'n meddwl bod ysmygu'n ...

Rydw i'n credu bod cymryd cyffuriau'n ...

Dylai pobl ...

Ddylai pobl ddim ...

Yn fy marn i ...

GWEITHGAREDD 30a-b

• Beth wyt ti'n feddwl?

Rydw i'n cytuno gyda ...

Twt lol!

Rydw i'n meddwl ....

Mae'n beth twp i wneud!

Dydw i ddim yn cytuno gyda ...

Sothach!

Rwyt ti'n iawn.

GWEITHGAREDD 30c-ch

TI A DY GI!

diwrnod	*day*	pwysig	*important*
paratoi	*(to) prepare*	gwyllt, yn wyllt	*wild, wildly*
pwynt	*point*	cyfarth	*(to) bark*
her	*challenge*	blin	*angry*
yn well	*better*	cael llond bol	*(to) be fed up*
rhan	*part*		

Roedd tad Huw yn darllen y papur newydd. Roedd hysbyseb yn y papur am 'Diwrnod Ti a dy Gi'.

Hei, Huw, mae rhywbeth i ti a Carlo yn y papur newydd.

Beth?

'Diwrnod Ti a dy Gi' yn y parc mewn pythefnos.

Ffoniodd Huw Aled i weld oedd e eisiau dod i'r 'Diwrnod Ti a dy Gi' ac yna ...

Haia Aled. Wyt ti eisiau dod i'r 'Diwrnod Ti a dy Gi'?

Ti a dy beth?

... ffoniodd Aled Beca.

Beca, wyt ti a Lisa eisiau dod i'r 'Diwrnod Ti a dy Gi' yn y parc?

Wel, does dim ci gyda fi, ond mae ci gyda Lisa.

Yn yr ysgol, y dydd Llun wedyn, roedd y pedwar ffrind yn siarad am y diwrnod arbennig. Roedd tri o'r ffrindiau'n teimlo'n gyffrous ...

Reit 'te, os ydyn ni'n mynd i'r 'Diwrnod Ti a dy Gi', rhaid i ni baratoi.

Oes.

Paratoi?

Iawn.

... ond doedd Huw ddim yn gweld pwynt paratoi.

Wel, bydd rhaid i ni gerdded o gwmpas y parc ddeg gwaith. Rhaid i ni a'r cŵn fod yn heini.

Mae Carlo – a fi yn heini diolch yn fawr.

Roedd Huw'n meddwl bod Carlo – a fe ei hun – yn ddigon iach a heini ar gyfer y diwrnod mawr.

Rydw i'n siŵr, ond rhaid i ni ymarfer gyda'r cŵn.

Rhaid i ni a'r cŵn fwyta'n iach hefyd.

Mae Carlo yn bwyta'n iach, diolch yn fawr.

Dechreuon nhw siarad am beth roedden nhw'n mynd i wneud...

Rhaid i ni fynd allan am dro bob bore a bob nos gyda'r cŵn.

Rydw i **yn** mynd allan am dro gyda Carlo bob bore a nos, diolch yn fawr.

... ond doedd Huw ddim yn gweld pwynt gwneud llawer o ymarfer a chadw'n heini.

Gwranda, Huw. Dydyn ni ddim eisiau edrych yn wirion ar y 'Diwrnod Ti a dy Gi' ydyn ni! Rydyn ni eisiau bod yn heini ... yn iach ...

Mae Carlo a fi **yn** heini ac yn iach, diolch yn fawr.

Dechreuodd Aled baratoi. Dewisodd e un o'i bedwar ci a dechreuodd e baratoi'r ci ar gyfer y diwrnod mawr.

Wel, Mot, rhaid i ti beidio rhedeg tu allan nawr!

Dechreuodd Lisa a Beca baratoi. Aethon nhw â Gelert i'r parlwr cŵn.

Ydych chi'n gallu clipio Gelert os gwelwch yn dda?

Tipyn o her!

Mae e'n edrych yn well yn barod.

Ydy wir.

Dechreuodd Huw baratoi hefyd!

Wel, mae ymlacio'n rhan bwysig o gadw'n iach!

Aeth Lisa, Beca ac Aled i'r parc i ddysgu'r cŵn.

Eistedda, Gelert ... Arhosa ... Arhosa ...

Roedd Mot yn gallu cerdded yn dda wrth ymyl Aled ...

Ddim yn rhy gyflym Mot ... yn araf ... dyna gi da.

... ac roedd Gelert yn gallu rhedeg yn dda wrth ymyl Beca.

Dyna gi da, Gelert.

Roedd Lisa'n meddwl bod Huw a Carlo'n mynd i edrych yn wirion.

Rydw i'n poeni am Huw a Carlo. Dydyn nhw ddim wedi ymarfer. Maen nhw'n mynd i edrych yn wirion.

Beth am ofyn i Huw ddod yma nos yfory i ymarfer ar gyfer y 'Diwrnod Ti a dy Gi'?

Syniad da.

Felly, ffoniodd hi Huw i ofyn iddo fe ddod i'r parc gyda Carlo.

Rydyn ni'n poeni, Huw. Dwyt ti ddim wedi ymarfer ar gyfer y diwrnod.

Hy!

Beth am ddod i'r parc nos yfory er mwyn i ni weld pa mor heini ydych chi'ch dau?

Ond, doedd Huw ddim yn poeni. Roedd e a Carlo'n heini iawn – doedd dim problem!

Carlo … rydyn ni'n mynd i'r parc nos yfory i ddangos iddyn nhw pa mor heini … pa mor iach … pa mor ffantasig ydyn ni!

Roedd Lisa, Beca, Aled a'r cŵn yn barod i fynd am dro o gwmpas y parc. Ond ble oedd Huw? Yn sydyn, roedd sŵn cyfarth a rhedeg gwyllt …

Ble mae e 'te?

Dydy e ddim yn mynd i ddod.

O, Bobol Bach.

Oedd, roedd Carlo'n teimlo'n gyffrous iawn.

Carlo, dere yma! Carlo! Yma! Carlo! Yma! Dere yma!

Doedd Aled ddim yn hapus iawn. Roedd e eisiau dechrau.

Mae Gelert yn edrych yn dda, Lisa.

Diolch. Mae Carlo'n edrych yn … wel … mmm …

Heini?

Ydyn ni'n barod?

Roedd Lisa ac Aled yn teimlo'n eitha blin nawr.

Wyt ti'n barod Huw … ac ydy Carlo'n barod? Dydy e ddim yn edrych yn heini iawn i fi!

Hy! Mae Carlo a fi'n siwperheini. Dechreuwch chi'ch tri ac yna bydd Carlo a fi'n dal i fyny.

O, dewch ymlaen!

Dechreuodd Lisa, Beca ac Aled gerdded gyda'r cŵn. Roedd y cŵn yn wych ond roedd Beca'n poeni am Carlo.

Rydw i wedi cael llond bol ar y ci gwyllt yna.

Dydy e ddim yn edrych yn heini iawn.

Ond, yn sydyn, pwy ddaeth heibio, yn teimlo'n hapus iawn, ond Huw. Oedd, roedd Carlo yn heini!

Wel, wir!

Beth ddwedaist ti, Beca? "Dydy e ddim yn edrych yn heini iawn!" Pwy ydy'r ci mwya heini yma, tybed?

Ydy, mae byw'n iach yn bwysig! OND

MAE PAWB YN SÂL WEITHIAU!

Beth sy'n bod (ar …)?
Beth sy'n bod arnat ti?
Beth sy'n bod arnoch chi?

tud 105

tud 112

1. Enwi rhan o'r corff – GAN neu GYDA

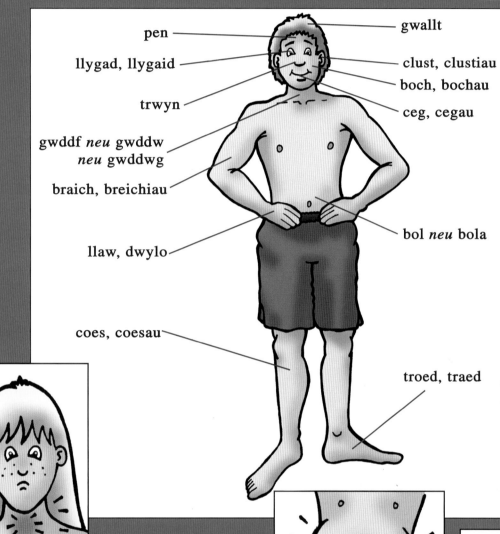

pen

gwallt

llygad, llygaid

clust, clustiau

boch, bochau

trwyn

ceg, cegau

gwddf *neu* gwddw
neu gwddwg

braich, breichiau

bol *neu* bola

llaw, dwylo

coes, coesau

troed, traed

Mae gwddwg tost
gyda fi.
Mae gen i ddolur
gwddw.

Mae clust dost
gyda fi.
Mae gen i bigyn
clust.

Mae bola tost gyda fi.
Mae gen i boen yn fy
mol.

Mae pen tost gyda fi.
Mae gen i gur pen.

Siarad am rywun arall:

Mae pen tost gyda fe.
Mae ganddo fo gur pen.

Mae gwddwg tost gyda'r plant.
Mae gwddwg tost gyda nhw.
Mae gan y plant ddolur gwddw.
Mae ganddyn nhw ddolur gwddw.

tud 109

GWEITHGAREDD 31-32

2. Enwi'r salwch – AR

tud 105

Mae annwyd
arna i.

Mae gwres arna i.

Mae brech yr
ieir arna i.

Mae peswch
arna i.

Mae'r
ddannodd
arna i.

Siarad am rywun arall:

tud 100

Beth sy'n bod arno fe / fo?
Mae annwyd arno fe / fo.

Mae'r ddannodd arni hi.

Mae brech yr ieir ar y plant.
Mae brech yr ieir arnyn nhw.

GWEITHGAREDD 33-35

Gwella

Dyma rai syniadau traddodiadol. Ydyn nhw'n gweithio, tybed?

I wella gwddwg tost – neu ddolur gwddw ...
cymra lwyaid o finegr a mêl cynnes,
(Ych a fi!)
neu,
bwyta nionod neu winwns!
neu,
rho ddarn o gig moch o gwmpas dy wddw
neu,
rho'r cig moch mewn gwlanen goch!

gwella	(to) recover
traddodiadol	traditional
cymryd	(to) take
llwyaid o	a spoonful of
mêl	honey
gwlanen	flannel
rhwbio	(to) rub
claddu	(to) bury
nionyn, nionod	onion,-s
winwnsyn, winwns	onion,-s
cymysgu	(to) mix
sudd	juice

I wella ferwca ...
rhwbia gig moch dros y ferwca.
Yna cladda'r cig moch yn yr ardd ... neu ... gwertha'r ferwca i rywun arall!

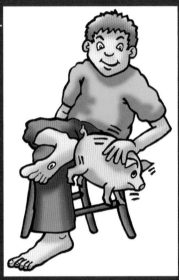

I wella peswch ...
Torra nionyn mewn bowlen. Rho siwgr brown dros y nionyn. Cymysga. Yfa'r sudd.

I wella annwyd a'r ffliw ...
yfwch gawl.

Wedi blino?
Bwyta nionyn heb ei goginio.

I wella annwyd ...
yfa sudd lemwn cynnes.

Sut oedd y Rhufeiniaid yn gwella pen tost neu gur pen?
Roedden nhw'n drilio twll yn y pen. Yn wir!

twll	hole

Yn yr hen amser, roedd pobl yn cael llawdriniaeth – heb anasthetig!

Meddygon Myddfai

Un diwrnod, roedd dyn yn cerdded wrth Llyn y Fan Fach. Gwelodd e ferch hardd yn codi o'r llyn. Syrthiodd e mewn cariad gyda hi.

Y diwrnod wedyn, aeth e i gerdded wrth y llyn eto. Cododd y ferch o'r llyn eto. Ei henw hi oedd Sibi. Gofynnodd y dyn i Sibi ei briodi e. 'Iawn,' meddai hi, 'ond os wyt ti'n fy nharo i dair gwaith, rydw i'n mynd yn ôl i'r llyn i fyw'.

Priodon nhw. Cawson nhw dri mab. Ond wedyn, tarodd y dyn Sibi dair gwaith:

- Unwaith, roedd hi'n hwyr i fedydd. 'Rhaid i ti frysio,' dywedodd ei gŵr a rhoiodd e bwniad bach iddi hi.
- Yna, mewn priodas, roedd hi'n crio. 'Paid crio,' dywedodd ei gŵr a rhoiodd e bwniad bach arall iddi hi.
- Yna, mewn angladd roedd hi'n chwerthin. 'Paid chwerthin,' dywedodd ei gŵr a rhoiodd e bwniad bach arall iddi hi.

Aeth Sibi yn ôl i'r llyn i fyw. Roedd y teulu'n drist iawn. Un diwrnod, roedd un o'r meibion – Rhiwallon – yn cerdded wrth y llyn. Gwelodd e Sibi, ei fam. Daeth hi i siarad â fe.

'Edrycha ar y wlad hyfryd … y planhigion a'r blodau hyfryd,' meddai. 'Mae'r planhigion a'r blodau'n bwysig. Rwyt ti'n gallu defnyddio planhigion a blodau i wella pobl sâl.'

Rhoiodd Sibi ryseitiau i Rhiwallon. Roedd y ryseitiau'n defnyddio blodau a phlanhigion ar gyfer gwella pobl sâl.

Defnyddiodd Rhiwallon a'i dri mab y ryseitiau i wella pobl a daethon nhw'n enwog iawn. Nhw oedd Meddygon Myddfai.

meddyg, meddygon	doctor,-s
llyn	lake
codi	(to) rise
priodi	(to) marry
taro	(to) strike, (to) hit
bedydd	christening
pwniad	nudge
priodas	wedding
angladd	funeral
planhigyn, planhigion	plant,-s
rysáit, ryseitiau	recipe,-s
enwog	famous

GWEITHGAREDD 36

Pwyntiau pwysig

Rhaid / Rhaid i ti beidio	*You must / must not*
Rhaid i ti **f**wyta bwyd iach.	*You must eat healthy food.*
Rhaid i ti **g**erdded.	*You must walk.*
Rhaid i ti beidio bwyta bwyd afiach.	*You mustn't eat unhealthy food.*
Rhaid i ti beidio mynd ar y bws drwy'r amser.	*You mustn't go by bus all the time.*

Y gorchmynnol		*(Command forms)*
Yfa.	Yfwch.	*Drink.*
Paid yfed.	Peidiwch yfed.	*Don't drink.*
Y treiglad meddal ar ôl y gorchmynnol		*Soft mutation after the command forms*
Yfa **dd**ŵr.	Yfwch **dd**ŵr.	*Drink water.*

dy + treiglad meddal (+ di)		**eich ... (+ chi)**		**your ...**
dy **w**allt	dy **w**allt di	eich gwallt	eich gwallt chi	*your hair*
dy **d**raed	dy **d**raed di	eich traed	eich traed chi	*your feet*
ei + treiglad meddal (+ e / o)		**ei + treiglad llaes (+ hi)**		
ei **b**en e / ei **b**en o		ei **ph**en hi		*his head / her head*

mwy o ... llai o ac ati		*more ... less etc.*
mwy o basta		*more pasta*
llai o bop		*less pop*
digon o fananas		*plenty of bananas*
dylwn i / ddylwn i ddim ac ati		*I should / I shouldn't etc.*
Dylwn i **f**ynd i'r ganolfan hamdden.		*I should go to the leisure centre.*
Ddylwn i ddim eistedd drwy'r amser.		*I shouldn't sit all the time.*
Dylai e **g**erdded mwy.		*He should walk more.*
Ddylai e ddim mynd ar y bws.		*He shouldn't go by bus.*
ar		**ar**
Mae eisiau bwyd **arna i**.		*I'm hungry.*
Mae syched **arno fe / fo**.		*He's thirsty.*
Beth sy'n bod **arnat ti**?		*What's the matter with **you**?*
Mae annwyd **arnyn nhw**.		***They**'ve got a cold.*
gan a gyda		**gan** *and* **gyda**
mae pen tost **gyda fi**	mae **gen i** gur pen	*I've got a headache.*
mae gwddwg tost **gyda f**e	mae **ganddo fo** ddolur gwddw	*He's got a sore throat.*

Pa mor (+ ansoddair / adferf) ...?	*how (+ adjective / adverb)?*
Pa mor aml?	*How often?*
Pa mor heini?	*How fit?*
drwy'r + amser	**drwy'r** + *time = all*
drwy'r dydd a drwy'r nos	*all day and all night*
meddwl bod	*(to) think that*
Rydw i'n meddwl bod ysmygu'n wirion.	*I think that smoking is stupid.*
Rydw i'n meddwl bod llawer o bobl yn yfed gormod.	*I think that a lot of people drink too much.*

GWEITHGAREDD 37

3. Yr Amgylchedd

Sbwriel

Mae 'na sbwriel ar y bysiau
Mae 'na sbwriel ar y stryd
Ai chi sy'n gollwng sbwriel
O hyd ac o hyd?

Hen bapurau siocled
O flaen drysau'r tai
Peidiwch, peidiwch, peidiwch dweud
'Nid arna i mae'r bai'.

Pwy biau'r tuniau?
Pwy biau'r papur tships?
Pwy ar iard yr ysgol
Sy'n taflu bagiau crisps?

Mae 'na sbwriel ar y bysiau
Mae 'na sbwriel ar y stryd
Ai chi sy'n gollwng sbwriel
O hyd ac o hyd?

Zac Davies

amgylchedd	environment
gollwng	(to) drop
o hyd	all the time
nid arna i mae'r bai	it's not my fault
pwy biau?	whose is?
taflu	(to) throw

BLE MAE SBWRIEL?

yn y parc

ar y stryd

o flaen drysau'r tai

Ble arall?

o flaen	in front of
tu ôl i	behind
uwchben	above
ar ben	on top
o dan	under, beneath
wrth	by
wrth ochr	by the side (of)
yn ymyl	by the side (of)
yn agos i	close to
yn (y)	in (the)
mewn	in (a)
yng nghanol	in the middle (of)

ar iard yr ysgol

GWEITHGAREDD 1-2

gwarthus	disgraceful, shameful
ffiaidd	disgusting, foul
peryglus	dangerous
llygoden fawr, llygod mawr	rat,-s
achosi llygredd	(to) cause pollution

Mae taflu sbwriel ar y llawr …

yn ych a fi

yn afiach

yn ofnadwy

yn warthus

yn achosi llygredd

yn ffiaidd

yn denu llygod mawr

yn beryglus

yn creu problemau iechyd

yn ddrwg i'r amgylchedd

Pa fath o sbwriel sy ar y stryd, fel arfer?
*   poteli
*   caniau diod
*   papurau losin neu fferins
*   pacedi sigaréts
*   bonion sigaréts

WYT TI'N TAFLU SBWRIEL?

YDW ...

Weithiau.

Os dydw i ddim yn gweld bin.

Yn aml.

Ambell waith.

Os does dim bin.

NAC YDW ...

Dydw i ddim yn taflu sbwriel.

Ddim fel arfer.

Dydw i byth yn taflu sbwriel.

Mae taflu sbwriel yn ofnadwy!

Byth.

Rydw i'n taflu afalau i'r llawr weithiau. Mae hynny'n iawn.

Ambell waith rydw i'n taflu sbwriel i'r llawr - os dydw i ddim yn gweld bin.

GWEITHGAREDD 3-5

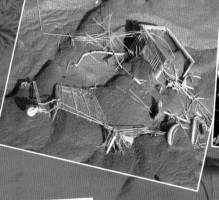

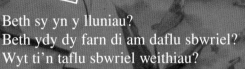

Beth sy yn y lluniau?
Beth ydy dy farn di am daflu sbwriel?
Wyt ti'n taflu sbwriel weithiau?

Mae mwy na 100,000 o drolïau archfarchnad yn mynd ar goll bob blwyddyn. Mae hyn yn costio £5 miliwn.

troli, trolïau	trolley,-s
ar goll	lost

42

Mae sbwriel yn broblem!
Mae gwastraff yn broblem!

- Mae person yn cynhyrchu 500 kg o wastraff bob blwyddyn.
- Mae 78% o'r gwastraff yn mynd i'r tomennydd sbwriel.
- Does dim digon o le i roi'r gwastraff.
- Mae llawer o'r gwastraff yn llygru'r amgylchedd.
- Mae bag plastig yn cymryd 500 mlynedd i bydru. Rydyn ni'n defnyddio 500 miliwn o fagiau bob wythnos!

gwastraff	waste
cynhyrchu	(to) produce
tomennydd sbwriel	waste tips
dim digon o le	not enough room
llygru	(to) pollute
pydru	(to) rot

Mae'n bryd i ...

Mae'n bryd **i fi / mi w**neud rhywbeth!	*It's time **I** did something!*
Mae'n bryd **i ti w**neud rhywbeth!	*It's time **you** did something!*
Mae'n bryd **iddo fe / fo w**neud rhywbeth!	*It's time **he** did something!*
Mae'n bryd **iddi hi w**neud rhywbeth!	*It's time **she** did something!*
Mae'n bryd **i ni w**neud rhywbeth!	*It's time **we** did something!*
Mae'n bryd **i chi w**neud rhywbeth!	*It's time **you** did something!*
Mae'n bryd **iddyn nhw w**neud rhywbeth!	*It's time **they** did something!*
Mae'n bryd **i b**awb **w**neud rhywbeth!	*It's time **everyone** did something!*

Hefyd ...

Mae'n hen bryd i fi / mi + treiglad meddal	*It's high time I ...*
Mae angen i fi / mi + treiglad meddal	*(I) need to ...*
(Mae'n) rhaid i fi / mi + treiglad meddal	*(I must) ...*
Mae'n well i fi / mi + treiglad meddal	*I'd better ...*

Mae'n hen bryd i ni feddwl am yr amgylchedd!
Mae'n hen bryd i ni wneud rhywbeth!

   Mae angen i ni feddwl am yr amgylchedd!
   Mae angen i ni wneud rhywbeth!

Rhaid i chi ailgylchu pethau.
Rhaid i bobl feddwl am yr amgylchedd.

   Mae'n well i ni ddechrau nawr.
   Mae'n well i bawb ailgylchu pethau.

ailgylchu	(to) recycle

GWEITHGAREDD 6-9

43

Sbwriel yn y cartref

Bin y teulu cyffredin – ond beth sy yn y bin?

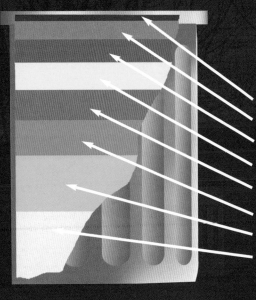

2.1% Tecstilau / Dillad
6.8% Llwch
7.3% Metelau
9.35% Gwydr
9.9% Amrywiol
11.2% Plastigion
20.2% Llysiau
33.2% Papur

% = y cant

9%	naw y cant
9.35%	naw pwynt tri pump y cant
9.9%	naw pwynt naw y cant
20.2%	dau ddeg pwynt dau y cant
100%	cant y cant

GWEITHGAREDD 10-11

Beth ddylet ti wneud yn lle rhoi'r sbwriel yn y bin?

AILGYLCHU!!

GWEITHGAREDD 12-13

- Ym Mhrydain, mae pob tŷ yn taflu 22 kg o sbwriel i'r bin bob wythnos.

- Yn Billingheim, yn Yr Almaen, rhaid i bobl bwyso sbwriel. Rhaid iddyn nhw roi arian i'r dynion sbwriel am bob cilogram o sbwriel.

- Yn Sgandinafia, mae'n bosibl ennill arian os wyt ti'n ailgylchu caniau alwminiwm.

Y NEWYDD A'R HEN A'R HEN A'R NEWYDD ...

Oes ffôn symudol newydd gyda ti?
Beth wyt ti'n mynd i wneud gyda'r hen ffôn?

Gallet ti roi'r hen ffôn i Oxfam achos mae Oxfam yn casglu hen ffonau symudol. Maen nhw'n anfon yr hen ffonau symudol at gwmni arbennig.

Mae'r cwmni'n ailgylchu ac yn ailddefnyddio pob rhan o'r ffôn. Does dim gwastraff o gwbl. Os ydy'r ffôn yn un da, mae'r cwmni'n glanhau'r ffôn ac yn ei ddefnyddio eto.

Oes dillad newydd gyda ti?
Beth wyt ti'n mynd i wneud gyda'r hen ddillad?

A beth am hen gemau a hen deganau a hen lyfrau?

Gallet ti roi'r pethau yma i Oxfam hefyd!

Mae Oxfam eisiau hen ddillad, stampiau, hen gyfrifiaduron, hen gêmau ac unrhyw beth arall.

Beth maen nhw'n wneud gyda'r pethau yma?
- Mae'r pethau da'n mynd i'r siopau.
- Mae'r pethau eraill yn mynd i ffatri ailgylchu o'r enw 'Wastesavers'. O'r ffatri yma mae 70% o'r pethau yn mynd i wledydd fel Affrica a România.
- Maen nhw'n ailgylchu 25% o'r pethau eraill. Maen nhw'n gwneud clytiau a matresi.
- Dim ond 5% o'r pethau sy'n wastraff.

Felly, os oes ffôn newydd neu bâr o drowsus newydd gyda ti, beth ddylet ti wneud â'r hen rai?

Cofia – gallet ti helpu'r amgylchedd – a gallet ti helpu rhywun arall hefyd!

GWEITHGAREDD 14-15

gallet ti ...	you could ...
cwmni	company
ailddefnyddio	(to) reuse
pob rhan	every part
glanhau	(to) clean
gemau	jewellery
clwt, clytiau	rag,-s
matres, matresi	mattress,-es
yr hen rai	the old ones

45

BETH ALLET TI WNEUD?

Gallwn i roi fy hen ffôn i Oxfam neu ...

Gallwn i roi fy hen deganau i siop elusen neu ...

Gallwn ni fynd â hen lyfrau i'r siop elusen.

Gallwn i fynd â gwydr i'r banc poteli.	*I could* take glass to the bottle bank.
Gallet ti fynd â gwydr i'r banc poteli.	*You could* take glass to the bottle bank.
Gallai e / o fynd â gwydr i'r banc poteli.	*He could* take glass to the bottle bank.
Gallai hi fynd â gwydr i'r banc poteli.	*She could* take glass to the bottle bank.
Gallen ni fynd â gwydr i'r banc poteli.	*We could* take glass to the bottle bank.
Gallech chi fynd â gwydr i'r banc poteli.	*You could* take glass to the bottle bank.
Gallen nhw fynd â gwydr i'r banc poteli.	*They could* take glass to the bottle bank.

gallwn ... dylwn ... hoffwn

Mae **gallwn** yn dilyn yr un patrwm â **dylwn** a **hoffwn**.

→ **TAITH IAITH 3, TUD. 28**

Gallwn i roi'r dillad i siop elusen.
Gallen nhw werthu'r hen ddillad.

Gallwn i fynd â hen ddillad i'r banc dillad.

Gallwn i roi'r hen ddillad i fy mrawd.
Gallai e wisgo'r dillad mewn parti gwisg ffansi! Gallai e fynd fel bwgan brain!

GWEITHGAREDD 16-18

Beth allet ti wneud
- yn lle taflu
pethau i'r bin ?

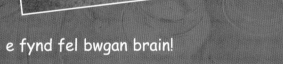

Dyma rai geiriau i dy helpu di.

rhoi / dodi	*(to) put*	siop elusen, siopau elusennau	*charity shop,-s*
rhoi	*(to) give*	dewch a phrynwch	*bring and buy*
ailgylchu	*(to) recycle*	ffair yr ysgol	*the school fair*
ailddefnyddio	*(to) reuse*	banc poteli	*bottle bank*
mynd â	*(to) take*	banc papur	*paper bank*
gwisgo	*(to) wear*	banc esgidiau	*shoe bank*
		banc hen ddillad	*old clothes bank*
		compost	*compost*

Cwmnïau'n ailgylchu

Mae rhai cwmnïau wedi dechrau meddwl am yr amgylchedd.

Mae un cwmni'n ailgylchu cwpanau plastig. Enw'r cwmni ydy Save-a-Cup.

Mae'n bosib gwneud bathodyn wrth ailgylchu pedwar cwpan plastig.

Mae'n bosib gwneud mat diod wrth ailgylchu pedwar cwpan plastig.

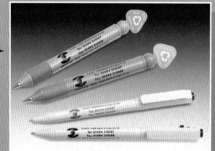

Mae'n bosib gwneud pen ysgrifennu wrth ailgylchu dau gwpan plastig.

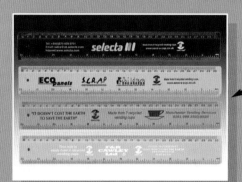

Mae'n bosib gwneud un pren mesur wrth ailgylchu wyth cwpan plastig.

Mae'n bosib gwneud cylch allweddi wrth ailgylchu dau gwpan plastig.

bathodyn	badge
wrth ailgylchu	by recycling
mat diod	drinks mat
cylch allweddi	key ring

Mae'n bosib gwneud llawer o bethau wrth ailgylchu plastig.
Mae'n bosib gwneud bagiau plastig newydd, casys cryno ddisg a fideo a dillad.

GWEITHGAREDD 19

AILGYLCHU "GWAHANOL"

Mae un cwmni'n ailgylchu rhywbeth rhyfedd iawn. Mae mwy o wybodaeth ar y cryno ddisg.

GWEITHGAREDD 20

Dyma ychydig o help:

gwastraffu	(to) waste
baw eliffant	elephant dung
lladd	(to) kill
sychu	(to) dry
cymysgu	(to) mix

Beth mae'r cwmni'n wneud?

"Rydyn ni'n casglu'r baw eliffant. Yna, rydyn ni'n coginio'r baw i ladd y bacteria. Mae'r baw yn sychu'n fflat. Mae'r baw yn mynd i Brydain ac yno maen nhw'n cymysgu'r baw gyda gwastraff papur a'i droi'n bapur ysgrifennu. Mae'n broses syml iawn."

Cwestiwn	Ateb
Faset ti'n defnyddio papur Ellie Poo?	Baswn.
Fasech chi'n defnyddio papur Ellie Poo?	Baswn, baswn i'n defnyddio papur Ellie Poo.
	Na faswn.
	Na faswn, faswn i ddim yn defnyddio papur.
	Ellie Poo!

Faset ti'n prynu papur Ellie Poo?
Faset ti'n prynu papur gwastraff wedi'i wneud o goffi a banana?
Pam?

Mae'n syniad da.
Beth ydy'r broblem?

wedi'i wneud o	made from

Dydy e ddim yn neis iawn.
Dydy baw eliffant ddim yn neis iawn!

GWEITHGAREDD 21

Yr Amgylchedd: Problemau eraill

Mae sbwriel yn broblem i'r amgylchedd.
Beth arall sy'n broblem?

graffiti

llygredd ceir

llygod mawr

fandaliaeth

baw ci

gwm cnoi

Mae cŵn yn gadael 1,000 tunell o faw ar y stryd neu mewn parciau bob dydd.

GWEITHGAREDD 22

Mae pobl yn cnoi gwm ers 50 O.C. Roedd y bobl gyntaf i gnoi gwm yn byw yng Ngroeg.

Mae dros 26 miliwn o bobl yn cnoi gwm ym Mhrydain. Maen nhw'n cnoi 3 biliwn paced o gwm cnoi bob blwyddyn.

Yn Iwerddon, mae pris gwm cnoi yn codi – er mwyn cael arian i brynu peiriant 'Gum buster' i lanhau'r palmentydd.

Roedd prynu gwm cnoi yn Singapore yn anghyfreithlon rhwng 1992 a 2004. Os oeddet ti'n cnoi gwm yn Singapore gallet ti fynd i'r carchar. Nawr, os wyt ti eisiau prynu gwm cnoi yn Singapore rhaid i ti roi dy enw a dangos dy gerdyn adnabod.

Rhifau mawr

1,000	mil
20,000	dau ddeg mil / ugain mil
100,000	can mil
500,000	pum can mil
1,000,000	miliwn

tud 34-35

GWEITHGAREDD 23-26

49

AM LANAST!

Roedd Huw, Lisa, Beca ac Aled yn aros am y trên. Roedd ffrind Huw, Dewi, yn dod i aros gyda Huw.

Roedd Dewi'n byw yng Nghymru pan oedd e'n fach ond nawr roedd tad a mam Dewi'n gweithio yn Yr Almaen ac felly roedd Dewi'n byw yn Yr Almaen nawr.

Trefnodd Huw ac Aled gêm bêl-droed ar gyfer y bore wedyn.

Roedd mam Huw yn hapus i weld Dewi unwaith eto.

Roedd mam Huw'n paratoi swper.

Roedd Dewi'n edrych ar fam Huw. Cafodd e sioc achos roedd hi'n rhoi'r sbwriel i gyd yn y bin.

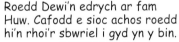

Eglurodd Dewi beth sy'n digwydd i sbwriel yn Yr Almaen.

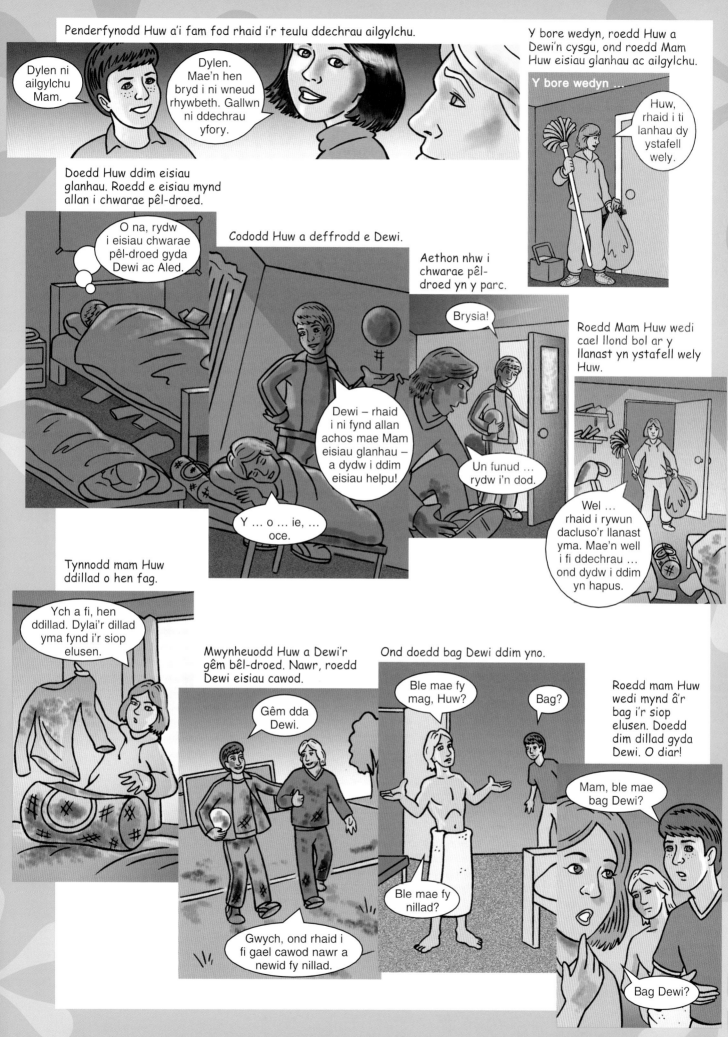

51

Pwyntiau pwysig

o flaen ..., tu ôl i ..., ac ati	*in front of ..., behind ..., etc.*

Gallwn i (+ treiglad meddal)   *I could*

idiomau – 'i'   (+ treiglad meddal)   *idioms using 'i'*

mae'n bryd i ...	*it's time ...*
mae'n hen bryd i ...	*it's high time ...*
mae angen i ...	*(I / you etc.) need to ...*
mae'n well i ...	*(I / you etc.) had better ...*
(mae'n) rhaid i ...	*(I / you etc.) must ...*

I

i fi / i mi	Mae'n bryd **i fi** wneud rhywbeth.	*It's time I did something.*
i ti	Mae'n well **i ti** wneud rhywbeth.	*You'd better do something.*
iddo fe / fo	Mae angen **iddo fe** wneud rhywbeth.	*He needs to do something.*
iddi hi	Mae angen **iddi hi** wneud rhywbeth.	*She needs to do something.*
i John	Rhaid **i John** wneud rhywbeth.	*John must do something.*
i ni	Rhaid **i ni** wneud rhywbeth.	*We must do something.*
i chi	Mae'n hen bryd **i chi** wneud rhywbeth.	*It's high time you did something.*
iddyn nhw	Rhaid **iddyn nhw** wneud rhywbeth.	*They must do something.*

Faset ti'n ...?   *Would you ...?*

Baswn.	*Yes (I would).*
Baswn, baswn i'n ...	*Yes, I would ...*
Na faswn.	*No (I wouldn't).*
Na faswn, faswn i ddim yn ...	*No, I wouldn't ...*

y cant   *% (per cent)*

pump y cant	5%
un deg dau pwynt pump y cant	12.5%

rhifau mawr   *large numbers*

mil	1,000
pum mil	5,000
dau ddeg wyth mil	28,000
can mil	100,000
miliwn	1,000,000

4. Teithio

palet	palette
amryliw	multicoloured
saffir	saphire
tywod aur	golden sand
Gwlad yr Iâ	Iceland
perl	pearl
yr Affrig = Affrica	Africa
pen i waered	upside down
emrallt	emerald
draig	dragon
megis	like
rhyfeddodau	wonders

LLIWIAU

Palet amryliw
ar y ddesg o'm blaen.

Esgid o saffir mewn awyr glir
yw'r Eidal.
Awstralia
fel darn o'r haul melyn wedi rhedeg
ar dywod aur.
Gwlad yr Iâ yn berl wen yn y môr
a'r Affrig fel pen eliffant bron
gyda stribedi ifori.

Yn y gornel
welingtonsen ddu a'i phen i waered
yw Seland Newydd,
ac mae Iwerddon yn emrallt i gyd.
Ond mae un smotyn bach
fel ceg draig goch,
a'i liw megis gwaed -
    Dyma Gymru.

Mae'r rhyfeddodau hyn i gyd
yn fy atlas lliwgar i.

Ifan Gwilym

GWEITHGAREDD 1-3

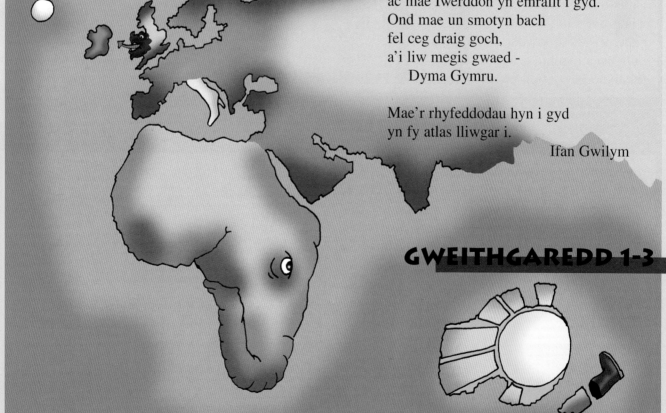

53

Teithio

Mae llawer o bobl yn mwynhau teithio. Maen nhw'n teithio er mwyn gweld a gwneud pethau diddorol.

Mae llawer o bobl yn mwynhau mynd i Baris – i weld Tŵr Eiffel, Eglwys Gadeiriol Notre Dame ac oriel gelf enwog y Louvre. Hoffet ti fynd yno? Gallet ti ymarfer dy Ffrangeg! Mae'r bwyd yn flasus iawn yno a gallet ti fwyta malwod neu goesau broga!

Mae rhai pobl yn teithio i'r Aifft. Hoffet ti fynd yno? Gallet ti weld y pyramidiau. Gallet ti deithio ar gefn camel a gallet ti gysgu mewn pabell o dan y sêr yn y diffeithdir.

Mae rhai pobl yn mwynhau gwyliau yn Ne Affrica. Hoffet ti fynd yno? Gallet ti fynd ar saffari a gweld llewod, eliffantod, rhinos a sebras ym Mharc Cenedlaethol Kruger, parc cenedlaethol mwyaf enwog y byd.

Mae rhai pobl yn mwynhau mynd yn bellach – i Japan. Hoffet ti fynd yno? Gallet ti fwyta sushi – pysgod amrwd a reis - a gallet ti ddefnyddio 'chopsticks'!! Yn Japan gallet ti weld Mynydd Fuji-san a theithio ar y 'Shinkansen', y trên bwled.

er mwyn	in order to
malwod	snails
coesau broga	frogs' legs
Yr Aifft	Egypt
ar gefn	on the back of
diffeithdir	desert
parc cenedlaethol	national park
mwyaf enwog	most famous
amrwd	raw

Cwestiwn	Ateb
Hoffet ti fynd i Baris? Pam?	Hoffwn. Hoffwn, hoffwn i fynd i Baris achos hoffwn i weld Tŵr Eiffel.
Hoffet ti fynd i'r Aifft? Pam?	Na hoffwn. Na hoffwn, hoffwn i ddim mynd i'r Aifft achos mae hi'n rhy boeth yno.

Hoffet ti fynd i Baris? Pam?
Hoffet ti fynd i'r Aifft? Pam?
Hoffet ti fynd i Dde Affrica? Pam?
Hoffet ti fynd i Japan? Pam?

Gwyliau delfrydol:
I ble hoffet ti fynd ar dy wyliau delfrydol?
Beth faset ti'n wneud yno?

Sut faset ti'n mynd yno?

mewn car	by car
yn y car	in the car
mewn bws	by bus
ar y bws	on the bus
ar drên	by train
ar y trên	on the train
mewn awyren	by aeroplane
ar long	by ship
ar gefn ceffyl	on horseback
ar gefn beic	by bike

Hoffwn i fynd i Sbaen. Baswn i wrth fy modd yn eistedd yn yr haul drwy'r dydd ac yn bwyta paëla. Braf!!

Hoffwn i fynd i'r Swistir i sgïo. Baswn i'n sgïo drwy'r dydd – baswn i'n siŵr o syrthio!

Pam faset ti'n mynd yno?

Baswn i'n mynd yno i weld y golygfeydd gwych ac i brofi bwyd gwahanol.

Baswn i'n mynd yno i fwynhau'r tywydd braf, y traethau glân a'r disgos gwych.

GWEITHGAREDD 4

Cwestiwn			Ateb	
Ble		mynd?		mynd i Amsterdam.
Ble		aros?		aros mewn gwesty smart.
Beth	faset ti'n	wneud?	Baswn i'n	cerdded o gwmpas.
Beth	fasech chi'n	fwyta?	Basen ni'n	bwyta caws.
Sut		teithio?		teithio mewn awyren.
Gyda pwy		mynd?		mynd gyda fy nheulu.
Pryd		mynd?		mynd ym mis Ebrill.
Pam		mynd yno?		mynd yno i weld y golygfeydd.

GWEITHGAREDD 5

Cwestiwn	Ateb
Faset ti'n mynd i Baris ar dy wyliau delfrydol?	Baswn. Baswn, baswn i'n mynd i Baris.
Fasech chi'n mynd i Baris ar eich gwyliau delfrydol?	Na faswn. Na faswn, faswn i ddim yn mynd i Baris.

→ **TAITH IAITH 3, TUD. 48**

GWEITHGAREDD 6

SIARAD AM RYWUN ARALL

BASWN	FASWN I DDIM
Baswn i'n mynd i'r Eidal.	Faswn i ddim yn mynd i'r Eidal.
Baset ti'n mynd i Sbaen.	Faset ti ddim yn mynd i Sbaen.
Basai e'n / o'n / hi'n teithio mewn awyren.	Fasai e / o / hi ddim yn teithio mewn awyren.
Basen ni'n cael amser da.	Fasen ni ddim yn cael amser da.
Basech chi'n hoffi'r Eidal.	Fasech chi ddim yn hoffi'r Eidal.
Basen nhw'n mwynhau eu hunain.	Fasen nhw ddim yn mwynhau eu hunain.

Gwyliau delfrydol

Basai John a Sally'n mynd i Affrica.
Basen nhw'n mynd ar saffari.

Basen ni'n mynd i'r lleuad.
Basen ni'n teithio mewn roced.

GWEITHGAREDD 7-9

Gwyliau yn y gofod?

Yn y dyfodol, bydd hi'n bosib i chi deithio i'r gofod ar eich gwyliau, efallai.

Teithiodd y dyn cyntaf i'r gofod, sef Yuri Gagarin o Rwsia, yn 1961 ac yna, yn 1969, glaniodd Neil Armstrong ar y lleuad.

Mae gofodwyr yn adeiladu Gorsaf Ofod Ryngwladol. Dechreuon nhw ar y gwaith yn 1988. Bydd pobl yn gallu ymweld â'r orsaf ofod ar wyliau; byddan nhw'n gallu aros yno ac astudio yno.

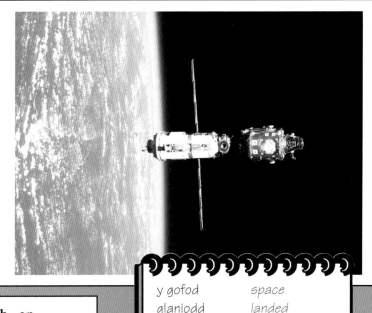

y gofod	space
glaniodd	landed
y lleuad	the moon
gofodwyr	astronauts
adeiladu	(to) build
Rhyngwladol	International

Sylwch! -wn -et -ai -en -ech -en
Mae **baswn** yn debyg i **hoffwn** ... a **gallwn** ... a **dylwn** ... ond
• mae 'n gyda **baswn**
• mae treiglad meddal ar ôl **hoffwn** ... a **gallwn** ... a **dylwn**.

baswn i'n	hoffwn i	gallwn i	dylwn i
baset ti'n	hoffet ti	gallet ti	dylet ti
basai e'n / o'n / hi'n	hoffai e / o / hi	gallai e / o / hi	dylai e / o / hi
basen ni'n	hoffen ni	gallen ni	dylen ni
basech chi'n	hoffech chi	gallech chi	dylech chi
basen nhw'n	hoffen nhw	gallen nhw	dylen nhw

GOFYN CWESTIYNAU AC ATEB CWESTIYNAU

→ TAITH IAITH 3, TUD. 48

I ofyn cwestiwn – treiglad meddal:

Faset ti'n mynd i Sbaen ar dy wyliau delfrydol?

Fasech chi'n hoffi dod?

Fasai John a Sam yn mwynhau yno?

Fasen nhw'n mwynhau yno?

I ateb y cwestiwn:

Baswn.

Baset.

Basai.

Basen.

Basech.

Basen.

Faset ti'n mynd i Sbaen ar dy wyliau delfrydol?
Baswn.
Baswn, baswn i'n mynd i Sbaen.

Fasai John a Sam yn mynd i Sbaen?
Basen.
Basen, basen nhw'n mynd i Sbaen.

Na faswn.

Na faset.

Na fasai.

Na fasen.

Na fasech.

Na fasen.

Faset ti'n mynd i'r Eidal ar dy wyliau delfrydol?
Na faswn.
Na faswn, faswn i ddim yn mynd i'r Eidal.

Fasai John a Sam yn mynd i'r Eidal?
Na fasen.
Na fasen, fasen nhw ddim yn mynd i'r Eidal.

GWEITHGAREDD 10-14

Taith ddelfrydol

Mae Barry Williams o Gastell Newydd Emlyn wedi bod ar daith ddelfrydol. Beth am wrando ar y cryno ddisg i glywed ei hanes.

Dyma ychydig o help:

wedi bod	*has / have been*
prifddinas, prifddinasoedd	*capital city, capital cities*
prysur	*busy*
Tsieineaidd	*Chinese*
enwog	*famous*
profiad	*experience*
uchel	*high*
offer diogelwch	*safety equipment*
anturus	*adventurous*

WEDI BOD

Mae Barry Williams **wedi bod** i Hong Kong.
Mae e **wedi bod** ar daith rygbi.
Mae e **wedi bod** i Seland Newydd hefyd.

GWEITHGAREDD 15

A: Wyt ti wedi bod i Affrica?

B: Nac ydw, dydw i ddim wedi bod i Affrica.

A: Hoffet ti fynd 'te?

B: Hoffwn.

A: Wyt ti wedi bod i Aberystwyth?

B: Ydw, rydw i wedi bod i Aberystwyth.

A: Wyt ti wedi bod i Hong Kong?

B: Nac ydw.

GWEITHGAREDD 16

WEDI

Sylwch: yn > wedi

YN		WEDI	
Rydw i'**n** teithio.	*I am travelling.*	Rydw i **wedi** teithio.	*I have travelled.*
Rwyt ti'**n** teithio.	*You are travelling.*	Rwyt ti **wedi** teithio.	*You have travelled.*
Mae e'**n** / o'**n** teithio.	*He is travelling.*	Mae e / o **wedi** teithio.	*He has travelled.*
Mae hi'**n** teithio.	*She is travelling.*	Mae hi **wedi** teithio.	*She has travelled.*
Rydyn ni'**n** teithio.	*We are travelling.*	Rydyn ni **wedi** teithio.	*We have travelled.*
Rydych chi'**n** teithio.	*You are travelling.*	Rydych chi **wedi** teithio.	*You have travelled.*
Maen nhw'**n** teithio.	*They are travelling.*	Maen nhw **wedi** teithio.	*They have travelled.*

Maen nhw'n dringo i dop Pont Sydney.
Maen nhw wedi dringo i dop Pont Sydney.

Wyt ti'n cofio'r negyddol yn y presennol?
Mae'n bosibl newid yr **yn** yn **wedi** eto:

→ **TAITH IAITH 1, TUD. 25**

Dydyn nhw ddim yn cael amser da.
Dydyn nhw ddim wedi cael amser da.

GWEITHGAREDD 17-18

Wyt ti'n cofio sut i ofyn cwestiwn yn y presennol?
Mae'n bosibl newid yr **yn** yn **wedi** eto:

→ **TAITH IAITH 1, TUD. 21, 25**

Ydyn nhw'n cael amser da?
Ydyn nhw wedi cael amser da?

GWEITHGAREDD 19-23

Rydw i'n parasiwtio'n hapus.

Rydw i wedi parasiwtio ... ac
rydw i wedi glanio ... a dydw
i ddim yn hapus iawn!

59

Teithiau arbennig

Y MIMOSA

Ar Fai 25, 1865, cychwynnodd llong o'r enw Mimosa o **Lerpwl** ar daith i Dde America.

Pam? Roedd bywyd yn anodd yng Nghymru ac felly, roedd rhai pobl yng Nghymru eisiau mynd i fyw mewn gwlad arall – i gael bywyd gwell.

Felly, ym mis Mai 1865, aeth 153 o bobl a phlant o Gymru ar y Mimosa. Roedd pawb yn siarad Cymraeg.

Roedd y daith yn hir – dros 2 fis – ac roedd y daith yn anodd hefyd. Weithiau, roedd hi'n stormus. Roedd y bobl ar y llong yn sâl ac roedd ofn arnyn nhw. Bu rhai pobl farw ar y llong.

Ar Orffennaf 28, 1865, cyrhaeddodd y Mimosa Dde America. Roedd pawb yn hapus iawn i gyrraedd.

Oedd bywyd yn well? Roedd bywyd yn anodd yma hefyd i ddechrau, ond roedd y bobl yn barod i weithio'n galed i wella eu bywyd.

Beth oedd enw'r wlad newydd? Patagonia.

cychwyn	(to) set off
bywyd	life
gwell	better
cyrraedd	(to) reach, (to) arrive at
gwella	(to) improve

Y TITANIC

Ar ddydd Llun, Ebrill 15, 1912, yn gynnar iawn yn y bore, suddodd y Titanic yng Nghefnfor Iwerydd. Roedd hi'n llong fawr iawn. Roedd hi'n llong hyfryd ac roedd llawer o bobl yn credu fasai'r llong yma byth yn suddo!
OND
roedd rhai pobl yn meddwl basai'r llong **YN** suddo!

- Roedd rhai pobl yn breuddwydio basai'r llong yn suddo.
- Roedd rhai o'r teithwyr yn gwrthod mynd ar y llong achos roedden nhw'n meddwl bod y llong yn mynd i suddo.
- Yn 1898, ysgrifennodd dyn o'r enw Morgan Robertson nofel o'r enw *Futility or The Wreck of the Titan*. Yn y nofel mae llong yn teithio ar draws Cefnfor Iwerydd, mae hi'n taro mynydd iâ ac mae hi'n suddo – fel y Titanic. Mae'r rhan fwyaf o'r teithwyr yn marw achos does dim digon o fadau achub – dyna beth ddigwyddodd ar y Titanic!

suddo	(to) sink
Cefnfor Iwerydd	the Atlantic Ocean
breuddwydio	(to) dream
gwrthod	(to) refuse
ar draws	across
taro	(to) hit
mynydd iâ	iceberg
y rhan fwyaf	most
bad achub, badau achub	lifeboat,-s

Teithio er mwyn helpu pobl eraill

Yr Urdd

Ers blynyddoedd, mae rhai o aelodau'r Urdd wedi teithio i Wlad Pwyl i helpu plant mewn cartrefi plant yn nhrefi Legnica a Bystryzycy.

Dechreuodd y teithiau yn ystod haf 2001. Teithiodd 10 o ddisgyblion ysgol uwchradd o Gymru i gartref plant Legnica. Cyn mynd, codon nhw £4,000.

Yn y cartref roedd 44 o blant yn byw. Cafodd y criw groeso arbennig gan y plant a daeth pawb yn ffrindiau mawr.

Roedd y cartref yn un hapus iawn ond roedd e'n llwm iawn. Helpodd y criw o Gymru i addurno'r adeilad. Gyda'r arian, prynon nhw gegin newydd i'r cartref a dysgon nhw rai o bobl ifanc Legnica i goginio.

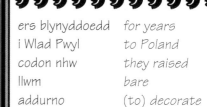

ers blynyddoedd	for years
i Wlad Pwyl	to Poland
codon nhw	they raised
llwm	bare
addurno	(to) decorate

Mae elusennau fel y *British Heart Foundation* yn trefnu teithiau anturus, llawn her, i bobl er mwyn iddyn nhw godi arian. Mae teuluoedd a ffrindiau'r teithwyr yn eu noddi nhw am fynd ar y daith.

Gallet ti fynd i China a cherdded ar hyd y Wal Fawr.

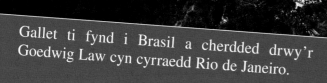

Gallet ti fynd i Brasil a cherdded drwy'r Goedwig Law cyn cyrraedd Rio de Janeiro.

elusen, elusennau	charity, charities
anturus	adventurous
llawn her	challenging
eu noddi nhw	(to) sponsor them
ar hyd	along

Beth am fynd i Periw i weld dinas goll Machu Picchu?

GWEITHGAREDD 24-27

61

I fyny ... i fyny ... i fyny ... efallai!

o'r blaen	*before*	lladda i fe	*I'll kill him*
Bryste	*Bristol*	cwmpawd	*compass*
alla i ddim aros	*I can't wait*	trueni am	*pity / shame about*
anghofio	*(to) forget*	Pont Hafren	*the Severn Bridge*
roedd hi wedi ennill	*she had won*	beth ar y ddaear?	*what on earth?*
benthyg	*(to) borrow*	gwirion	*silly*
tynnu coes	*(to) pull (someone's) leg*	hedfan	*(to) fly*

Roedd Beca'n teimlo'n gyffrous iawn. Rhedodd hi at Lisa i ddweud ei newyddion da. Roedd hi wedi ennill gwobr mewn raffl - taith mewn balŵn iddi hi a'i ffrindiau.

Roedd Lisa, Huw ac Aled eisiau mynd ar y trip.

Roedd Aled yn teimlo'n gyffrous iawn.

Ond roedd un broblem – doedd dim pasbort gydag Aled.

Aeth e i swyddfa'r post i gael ffurflen.

Dechreuodd e ysgrifennu ar y ffurflen, ond roedd rhaid anfon arian gyda'r ffurflen. Roedd rhaid gofyn i Mam am arian.

Ond doedd mam Aled ddim yn deall.

62

Na – Bryste!

Bryste! Pwy ddwedodd fod rhaid i ti gael pasbort?

Roedd Huw yn chwarae jôc ar Aled ac roedd Aled yn flin iawn.

Mae Huw yn tynnu dy goes di, rydw i'n meddwl.

Lladda i fe!

Roedd Aled eisiau chwarae jôc ar Huw nawr.

Y diwrnod wedyn

Rydw i'n edrych ymlaen at fynd yn y balŵn.

A fi. Wyt ti wedi cael y dillad arbennig ... a'r gogls ... a'r cwmpawd?

Doedd Huw ddim yn gwybod am y 'dillad arbennig' ond ofynnodd e ddim – doedd e ddim eisiau edrych yn dwp ...

Dillad arbennig? Gogls? Cwmpawd? Doeddwn i ddim yn gwybod am hyn.

... felly, ffoniodd e ei dad-cu

Helo, Dad-cu. Ga i fenthyg dillad hedfan?

... cafodd e gwmpawd

Haia, Jac, ga i fenthyg cwmpawd plîs?

Cei ... ond dim nawr, Huw.

... prynodd e gogls yn y siop chwaraeon (trueni am y snorcel!)

Mae'r gogls yma'n ffitio'n neis.

Ar Orffennaf 14, daeth tad Beca a Beca i gasglu'r tri arall o'r ysgol.

Gorffennaf 14

Ydych chi'n barod?

63

Gyrron nhw dros Bont Hafren.

Ydy dy basbort yn barod, Aled?

Ha, ha!

Cyrhaeddon nhw'r hen faes awyr.

Croeso i chi.

Diolch yn fawr.

Roedd Huw eisiau mynd i newid, ond roedd y tri arall yn siarad â Dave, y peilot.

Rydw i'n mynd i newid. Ydych chi'n dod?

Daeth Huw yn ôl. Roedd e'n edrych yn ofnadwy! Roedd Dave yn flin. Roedd rhaid i Huw fynd yn ôl i'r toiledau i newid.

Beth ar y ddaear ... dwyt ti ddim yn hedfan yn fy malŵn i yn y dillad yna!

Ond ... roeddwn i'n meddwl ... ond ...

Cer i newid y dillad yna – NAWR!

Roedd rhaid i bawb aros am Huw. Roedd Beca'n flin. Roedd hi eisiau mynd i hedfan.

Ydy e'n wirion fel arfer?

Ydy!

Weithiau.

O, dere 'mlaen Huw. Rydw i eisiau mynd yn y balŵn.

Canodd ffôn Dave. Y swyddfa dywydd oedd yno. Roedd storm yn dod.

Helo.

Mae storm yn dod. Peidiwch mynd i fyny yn y balŵn.

Doedd y giang ddim yn gallu mynd i hedfan. Roedd pawb yn siomedig iawn – ond roedd Beca'n flin iawn!

O na!

Huw Jones! Gallen ni fod yn hedfan yn yr awyr nawr ond am dy ddillad gwirion di!

Pwyntiau pwysig

Hoffet ti ... (+ treiglad meddal)   *Would you like ... ?*

Hoffet ti fynd i Baris?	*Hoffwn.*	*Would you like to go to Paris?*	*Yes (I).*
	Na hoffwn.		*No (I).*

Teithio   *Travelling*

mewn car	*by car / in a car*
yn y car	*in the car*

Baswn	*would*	**Faswn i ddim**	*wouldn't*
Baswn i'n ...	*I would ...*	Faswn i ddim yn ...	*I wouldn't ...*
Baset ti'n ...	*You would ...*	Faset ti ddim yn ...	*You wouldn't ...*
Basai e'n / o'n / hi'n ...	*He / she / it would ...*	Fasai e / o / hi ddim yn ...	*He / she / it wouldn't ...*
Basen ni'n ...	*We would ...*	Fasen ni ddim yn ...	*We wouldn't ...*
Basech chi'n ...	*You would ...*	Fasech chi ddim yn ...	*You wouldn't ...*
Basen nhw'n ...	*They would ...*	Fasen nhw ddim yn ...	*They wouldn't ...*

Cwestiynau

Faswn i'n ...?	*Would I ...?*
Faset ti'n ...?	*Would you ...?*
Fasai e / o / hi'n ...?	*Would he / she / it ...?*
Fasen ni'n ...?	*Would we ...?*
Fasech chi'n ...?	*Would you ...?*
Fasen nhw'n ...?	*Would they ...?*

Atebion

Baswn.	*Yes (I).*	Baswn, baswn i'n ...	*Yes, I would ...*
Baset.	*Yes (you).*	Baset, baset ti'n ...	*Yes, you would ...*
Basai.	*Yes (he / she / it).*	Basai, basai e'n / o'n / hi'n ...	*Yes, he / she / it would ...*
Basen.	*Yes (we).*	Basen, basen ni'n ...	*Yes, we would ...*
Basech.	*Yes (you).*	Basech, basech chi'n ...	*Yes, you would ...*
Basen.	*Yes (they).*	Basen, basen nhw'n ...	*Yes, they would ...*

Na faswn.	*No (I).*	Na faswn, faswn i ddim yn ...	*No, I wouldn't ...*
Na faset.	*No (you).*	Na faset, faset ti ddim yn ...	*No, you wouldn't ...*
Na fasai.	*No (he / she / it).*	Na fasai, fasai e / o / hi ddim yn ...	*No, he / she / it wouldn't ...*
Na fasen.	*No (we).*	Na fasen, fasen ni ddim yn ...	*No, we wouldn't ...*
Na fasech.	*No (you).*	Na fasech, fasech chi ddim yn ...	*No, you wouldn't ...*
Na fasen.	*No (they).*	Na fasen, fasen nhw ddim yn ...	*No, they wouldn't ...*

wedi bod   *has been / have been*

Rydyn ni wedi bod i Affrica.	*We've been to Africa.*
Maen nhw wedi bod i Gaerdydd.	*They've been to Cardiff.*

yn > wedi   *present tense (is / are) > perfect tense (has / have)*

Mae e'**n** mynd. > Mae e **wedi** mynd.	He'**s** going. > He **has** gone.
Rydyn ni'**n** bwyta. > Rydyn ni **wedi** bwyta.	We'**re** eating. > We **have** eaten.

5. ... a dyma'r newyddion

Yn yr uned yma, mae'r grŵp yn mynd i baratoi'r newyddion, e.e.

- tudalen o bapur newydd   neu
- newyddion ar gyfer y we   neu
- rhaglen newyddion ar gyfer y teledu   neu
- rhaglen newyddion ar gyfer y radio.

O ble wyt ti'n cael newyddion?

o'r papurau newydd

o'r radio

o'r teledu

o'r we

Rydw i'n darllen y ... bob dydd.

Rydw i'n gwrando ar y newyddion amser brecwast.

Mae fy nheulu i'n gwylio'r newyddion amser swper bob nos.

Dydw i ddim yn gwrando ar y newyddion.

Dydw i byth yn gwylio'r newyddion - mae'n ddiflas bob amser.

GWEITHGAREDD 1

... a dyma'r newyddion – ar y teledu ac ar y radio

Pa fath o newyddion sy ar y teledu fel arfer?

newyddion da

newyddion trist

newyddion diddorol

newyddion chwaraeon

newyddion difrifol

newyddion ysgafn

newyddion busnes

Beth arall sy ar raglenni newyddion?

cyfweliadau

hysbysebion

y tywydd

GWEITHGAREDD 2

Beth wyt ti'n feddwl o raglenni newyddion fel arfer?

→ TAITH IAITH 1, TUD. 32-33

Rydw i'n credu bod rhai rhaglenni newyddion yn ddiflas iawn.

Rydw i'n meddwl bod rhaglenni newyddion yn wych.

Dyma'r Newyddion

GWEITHGAREDD 3

Croeso mawr i "Wedi Wyth".
Wel, dyma wledd i chi –
Newyddion, tywydd, lluniau
A straeon mawr, di-ri.

Mae plant ysgolion Cymru
Am gael newyddion braf –
Bydd mis o wyliau 'Dolig
A thri mis yn yr Haf.

Newyddion o Awstralia
Am forgi enfawr, gwyn
Mi nofiodd at bysgotwr
A syllodd arno'n syn.

Roedd gan y morgi annwyl
Res wen o ddannedd â min
Mi fflachiodd wên ddireidus
A'i frathu ar ei dîn.

Luned Ainsley

gwledd	feast
di-ri	numerous
morgi	shark
pysgotwr	fisherman
syllu	(to) stare
yn syn	in amazement
rhes	a row
dannedd â min	sharp-edged teeth
fflachio	(to) flash
direidus	mischievous
brathu	(to) bite
tîn	backside

GWEITHGAREDD 4

... a dyma Huw Edwards

T.I.: Ble ydych chi'n byw?

Huw: Rydw i'n byw yn Llundain nawr ond rydw i'n dod o Langennech, ger Llanelli.

T.I.: Pan oeddech chi yn yr ysgol, beth oeddech chi eisiau wneud?

Huw: Wel, i ddechrau, roeddwn i eisiau bod yn bianydd. Wedyn, roeddwn i eisiau bod yn athro. Ar ôl gorffen yn y coleg, dechreuais i ddarllen y newyddion yn Gymraeg ac yn Saesneg ar *Sain Abertawe / Swansea Sound*. Yno, gwelais i gynllun i ddysgu pobl i weithio yn adran newyddion y BBC. Dyna sut dechreuais i yn y BBC.

T.I.: Rydych chi'n gweithio i adran newyddion y BBC – beth yn union ydych chi'n wneud?

Huw: Rydw i'n helpu i ddewis trefn y newyddion, rydw i'n helpu i ysgrifennu'r sgriptiau, rydw i'n paratoi'r cyfweliadau ac rydw i'n darllen y newyddion.

T.I.: Ydy darllen y newyddion yn hawdd?

Huw: Nac ydy! Mae dros saith miliwn o bobl yn gwylio ac weithiau mae problemau, e.e. dydy'r *autocue* ddim yn gweithio, neu mae rhywbeth ar goll.

T.I.: Ydych chi wedi cael problemau eraill?

Huw: Un noson, roeddwn i'n darllen y newyddion ac roedd rhaid i fi stopio hanner ffordd drwy'r rhaglen achos doedd dim trydan.

T.I.: Bobl Bach! Ydych chi'n nerfus, weithiau?

Huw: Ydw, weithiau, ond mae hyn yn beth da.

T.I.: Beth arall ydych chi wedi wneud ar y teledu?

Huw: Rydw i wedi cyflwyno *Newsnight, Panorama, Breakfast News, The One o'clock News, The Six o'clock News, Songs of Praise*. Rydw i wedi cyflwyno rhaglenni ar yr iaith Gymraeg a chrefydd yng Nghymru a rhaglenni opera.

T.I.: Ydych chi'n hoffi opera 'te?

Huw: Ydw, yn fawr iawn. Rydw i wrth fy modd yn gwrando ar gerddoriaeth glasurol.

T.I.: Ydych chi'n dod yn ôl i Gymru yn aml?

Huw: Ydw – tua 20 gwaith mewn blwyddyn.

T.I.: Diolch am siarad â Taith Iaith.

Huw: Croeso.

pianydd	pianist
cynllun	scheme
adran	department
trefn	order
cyfweliadau	interviews
ar goll	lost
trydan	electricity
nerfus	nervous
cyflwyno	(to) present
crefydd	religion
20 gwaith	20 times

GWEITHGAREDD 5-7

... a dyma'r newyddion – papurau newydd

Beth sy mewn papurau newydd?

stori, straeon	*story, stories*	sôn am	*(to) deal with*
erthygl, erthyglau	*article,-s*	disgrifio	*(to) describe*
hysbyseb, hysbysebion	*advert,-s*	hysbysebu	*(to) advertise*
ffurflen, ffurflenni	*form,-s*	siarad â	*(to) talk to*
cyfweliad, cyfweliadau	*interview,-s*	dangos	*(to) show*
llun, lluniau	*picture,-s*		
ffotograff, ffotograffau	*photograph,-s*		

Pa bapur newydd sy'n dod i dy dŷ di?
Beth ydy dy farn di am bapurau newydd?

Hoffwn i weld mwy o ...

Mae gormod o ...

Yn fy marn i ...

Mae rhai yn ddiflas iawn.

Rydw i'n meddwl bod papurau newydd yn ...

Mae angen mwy o ...

Does dim digon o ...

Mae rhai yn well na'i gilydd, er enghraifft ...

GWEITHGAREDD 8-9

Y Newyddion

Roedd damwain ar y draffordd
Rhwng fan a lori fawr
Roedd blawd a llaeth yn llifo
Wedi'u gollwng ar y llawr.

Daeth lori wyau wedyn
A llithro ar ei hyd
Mae'r heddlu'n ceisio clirio
Crempog fwya'r byd.

Luned Ainsley

damwain	*accident*
traffordd	*motorway*
blawd	*flour*
llifo	*(to) flow*
wedi'u gollwng	*having been spilt*
llithro ar ei hyd	*to slide headlong*
crempog	*pancake*

Sut i ...

byr	short
addas	suitable
tynnu sylw	(to) draw attention
thema	theme

- ## ysgrifennu erthygl

O na! Dim eto!

Dyma ni unwaith eto yn clywed yr un hen neges ...
'Dylai pawb fwyta'n iach!'
'Dylai pawb ymarfer!'
Rydyn ni'n clywed y neges yma yn yr ysgol ... ar y radio ... ar y teledu
... mewn cylchgronau ... mewn papurau newydd.
Ond tybed faint o bobl sy'n gwrando ar y neges?
Mae criw o bobl ifanc o Aberafon wedi gwrando ac maen nhw wedi
gwneud rhywbeth i dynnu sylw pobl eraill hefyd.

Mae gwneud yn well na dweud
Mae'r bobl ifanc wedi trefnu carnifal arbennig – carnifal 'Byw'n iach'.
Bydd y carnifal ddydd Sadwrn Gorffennaf 14 a bydd e'n cychwyn o'r
ysgol uwchradd am un ar ddeg o'r gloch.
'Mae bwyta'n iach ac ymarfer yn bwysig iawn,' meddai Mike Lewis,
15 oed, un o'r trefnwyr, 'a rhaid i ni ddangos hyn i bawb. Mae gwneud
rhywbeth, fel cael carnifal, yn well na siarad am y mater'.

Beth amdani?
Dyma rai o'r cystadlaethau:
- Gwisgo fel ffrwyth, llysieuyn neu rywun o fyd chwaraeon
- Y fflôt orau ar y thema 'Byw'n iach'
- Cystadlaethau chwaraeon
- Cadw'n heini
- Pêl-droed: y tomatos yn erbyn y brocoli
Am fwy o wybodaeth, ffoniwch yr ysgol uwchradd, 01887 674 208.

◄ teitl byr, addas

◄ dechrau addas –
mae'n tynnu sylw

◄ torri'r erthygl i fyny
◄ y pwyntiau pwysig
- pwy a beth
- ble
- pryd
- pam
◄ beth mae rhywun
wedi ddweud

◄ mae'n glir

◄ gwybodaeth bwysig

- ## paratoi hysbyseb

HELO BLODYN TATWS!
Dere i'r
CARNIFAL BYW'N IACH
Gorffennaf 14
cychwyn yn yr ysgol uwchradd am 11 o'r gloch

Cystadlaethau   Cadw'n heini   Pabell fwyd (iach wrth gwrs!)

a mwy

Peidiwch bod yn ddiflas - fel sgewyll.

Byddwch yn cŵl - fel ciwcymbr!

Am fwy o wybodaeth, ffoniwch yr ysgol uwchradd, 01887 674 208

◄ mae'n tynnu sylw
◄ mae'n glir
◄ mae'n fyr

◄ print mawr, bras

◄ manylion pwysig

◄ lluniau da

70

• ysgrifennu llythyr

Dyma un fformat ar gyfer ysgrifennu llythyr.
Defnyddia'r fformat rwyt ti wedi ddysgu yn yr ysgol.

Hendref
Pwllcoch
◄ dy gyfeiriad di
(ond dydy'r papur newydd ddim
yn dangos y cyfeiriad fel arfer!)

Gorffennaf 6
◄ dyddiad

Y Golygydd
Papur Y Dre
Brynbach
◄ cyfeiriad y papur newydd

Annwyl Syr/Fadam
◄ dim ,

Ynglŷn â: Graffiti ar y waliau
◄ pwrpas y llythyr

Rydw i wedi blino gweld graffiti ar waliau yn y dref yma
– ar waliau'r toiledau, ar hen adeiladau, ar y bont, ar yr
arhosfan. Mae'n hyll! Mae'n ofnadwy!
◄ egluro'r broblem
a
mynegi barn

Pa fath o graffiti? Pob math – ysgrifennu hyll, lluniau
ofnadwy a'r neges 'Mae Darren yn caru Sue'. (Pwy sy
eisiau gwybod?!) Mae rhai pobl yn dweud bod graffiti da
yn gelfyddyd, ond dydw i ddim yn cytuno!

Dylai pobl sy'n gwneud graffiti fynd i'r carchar! Maen
nhw'n sbwylio'r dref ac mae'n costio llawer o arian i
beintio dros y graffiti.
◄ syniad ynglŷn â sut i ateb y
broblem

Yn gywir
◄ gorffen gyda 'Yn gywir' –
dim ,

E. Smith (Mrs)

GWEITHGAREDD 14-15

ynglŷn â	*regarding*
hen adeiladau	*old buildings*
yn hyll	*ugly*
celfyddyd	*art*

• gwneud cyfweliad

Mewn cyfweliad ffurfiol mae'n bwysig
- defnyddio **chi** nid **ti**
- bod yn gwrtais
- gofyn cwestiynau da
- gwrando ar beth mae'r person yn ddweud ac adeiladu ar beth mae'r person yn ddweud
- diolch.

GWEITHGAREDD 16-18

O BLE ARALL WYT TI'N CAEL NEWYDDION?

Heddiw, mae gen i newyddion pwysig iawn i chi.

Heddiw, mae newyddion pwysig iawn gyda fi i chi.

Ar y cryno ddisg mae'r pennaeth yn rhoi newyddion i'r ysgol. Gwranda ar y cryno ddisg.

GWEITHGAREDD 19

Newyddion y pennaeth

Gwranda ar y darn eto, ond y tro yma, gwranda yn arbennig am y ffurfiau yma.

eu gêm nhw

ein hathrawes ymarfer corff ni

ei choes hi

ein tîm ni

ei phen hi

fy swyddfa i

ein hathro ymarfer corff

Mae'r geiriau bach yma'n bwysig iawn. Maen nhw'n digwydd yn aml iawn.

fy + treiglad trwynol
    fy **nh**ŷ (i)
    fy **ngh**i (i)
    fy **mh**arot (i)
dy + treiglad meddal
    dy **d**ŷ (di)
    dy **g**i (di)
    dy **b**arot (di)
ei + treiglad meddal
    ei **d**ŷ (e / o)
    ei **g**i (e / o)
    ei **b**arot (e / o)
ei + treiglad llaes (t, c, p)
    ei **th**ŷ (hi)
    ei **ch**i (hi)
    ei **ph**arot (hi)
ein   ein tŷ (ni)
    ein ci (ni)
    ein parot (ni)
eich   eich tŷ (chi)
    eich ci (chi)
    eich parot (chi)
eu   eu tŷ (nhw)
    eu ci (nhw)
    eu parot (nhw)

Mae fy mharot i'n well na dy barot di … a'i pharot hi … a'u parot nhw!

ei (benywaidd) + llafariad = **h**
ein
eu
___
ei **h**ysgol   *her school*
ein **h**athro   *our teacher*
eu **h**athrawes   *their teacher*

tud 91

→ **TAITH IAITH 2, TUD. 20**

→ **TAITH IAITH 3, TUD. 23**

GWEITHGAREDD 20-21

72

Newyddion rhyfedd – ond gwir

A dyma'r newyddion ...

I'r chwith ... dau ... tri ...

Ym mis Hydref 2003, arestiodd yr heddlu yn Japan ddyn 45 oed am ddwyn esgidiau.

I ddechrau, arestiodd yr heddlu Ichiro Irie am ddwyn esgidiau dwy ddynes mewn ysbyty yn Usa, 500 milltir i'r de o Tokyo. Yn Japan, rhaid i bobl dynnu eu hesgidiau cyn mynd i mewn i rai adeiladau a rhaid iddyn nhw wisgo sliperi. Felly, maen nhw'n rhoi'r esgidiau wrth y drws.

Ond roedd yr esgidiau wrth ddrws ysbyty Usa yn diflannu! Roedd Ichiro Irie yn dod i'r ysbyty ddwywaith yr wythnos i ddwyn yr esgidiau.

Pan aeth yr heddlu i dŷ Mr Irie, ffeindion nhw 440 o esgidiau … ac … yn rhyfedd … roedd pob un yn esgid chwith.

'Mae gen i ddiddordeb mawr mewn traed merched', dywedodd Mr Irie.

Ond pam y droed chwith, tybed?

gwir	true
dwyn	(to) steal
dynes = menyw	lady, ladies, woman, women
tynnu	(to) take off
rhai	some
diflannu	(to) disappear
yn rhyfedd	strangely

Y dyn … y glud … a'r rhino
(ond peidiwch trio hyn gartref!)

Roedd Ronald Demuth yn mynd o gwmpas sw *Eagle's Rock African Safari* yn America gyda grŵp o bobl o Rwsia pan ddigwyddodd rhywbeth rhyfedd – a pheryglus – iawn.

Roedd gan Ronald Demuth becyn o *Crazy Glue*. Felly, penderfynodd o ddangos i'r bobl o Rwsia fod y glud yma'n dda iawn. Rhoiodd o ychydig o'r glud ar ei ddwylo. Yna, fel jôc, rhoiodd o ei ddwylo ar ben-ôl rhinoseros o'r enw Sally.

I ddechrau, doedd Sally ddim yn poeni llawer, ond wedyn … aeth hi'n WYLLT!

Rhedodd Sally o gwmpas yn wyllt, gyda Demuth yn sownd i'w phen-ôl. Torrodd hi ddwy ffens, wal sied a rhedodd llawer o'r anifeiliaid eraill i ffwrdd.

glud	glue
peryglus	dangerous
pen-ôl	backside
yn sownd i	stuck to
bythgofiadwy	memorable
yn rhydd	free

Roedd tipyn o broblem nawr. Roedd Ronald Demuth yn sownd ac roedd Sally'n wyllt. Roedd rhaid i'r wardeniaid wneud rhywbeth.

Dalion nhw'r rhino a dechreuon nhw ar y gwaith o gael y dyn yn rhydd.

Ar ôl pedair awr roedd Ronald Demuth yn rhydd!

Cafodd y bobl o Rwsia ddiwrnod bythgofiadwy! 'Mae'r glud yma'n ffantastig', meddai un o'r grŵp. 'Dw i'n mynd i brynu'r glud yma i'r plant!'

YSGRIFENNU NEWYDDION

- I ddisgrifio beth **oedd** yn digwydd – **roedd** + **yn**:
    Roedd Ronald Demuth yn mynd o gwmpas y sw.
    Roedd hi'n braf.
    Roedd llawer o anifeiliaid diddorol yn y sw.

    → **TAITH IAITH 2, TUD. 56, 80, 82**

- I ddangos bod rhywbeth yn digwydd – y gorffennol cryno
    Rhoiodd Ronald ei ddwylo ar ben ôl y rhino.
    Aeth Sally'n wyllt.
    Torrodd hi ddwy ffens.

→ **TAITH IAITH 3, TUD. 8- 10**

- I fynd yn ôl yn bellach mewn amser – **roedd** + **wedi**
    Roedd Ronald wedi dal y bws.
    Roedd Ronald wedi cyfarfod â llawer o bobl o Rwsia.
    Roedd Ronald wedi dod â glud yn ei boced.

YN	>	WEDI
Roeddwn i'**n** mynd.		Roeddwn i **wedi** mynd.
Roeddet ti'**n** mynd.		Roeddet ti **wedi** mynd.
Roedd e'**n** / o'**n** mynd.		Roedd e / o **wedi** mynd.
Roedd hi'**n** mynd.		Roedd hi **wedi** mynd.
Roedden ni'**n** mynd.		Roedden ni **wedi** mynd.
Roeddech chi'**n** mynd.		Roeddech chi **wedi** mynd.
Roedden nhw'**n** mynd.		Roedden nhw **wedi** mynd.

tud 28-29

GWEITHGAREDD 22-23

S-B-W-W-W-C-I

Byddwch yn ofalus! Nos yfory mae hi'n Nos Wener Gorffennaf 13 … ac mae pethau rhyfedd iawn wedi digwydd ar nos Wener Gorffennaf 13.

Meddai Mr Simon Bolt, 'Ddwy flynedd yn ôl, roeddwn i wedi bod yn cael cinio nos yn y 'Bull'. Roeddwn i wedi meddwl mynd adre mewn tacsi ond roedd hi'n noson braf, felly penderfynais i gerdded adre.

Roeddwn i'n cerdded i fyny'r ffordd a gwelais i bobl mewn dillad du yn dod o Tŷ Mawr. Roedden nhw'n cario rhywbeth. Roedden nhw'n cerdded yn dawel iawn. Roedden nhw'n cerdded i mewn i'r fynwent …

GWENER 13

mynwent   graveyard

GWEITHGAREDD 24

Arwyddion marwolaeth

Roedd rhai o'r hen Gymry yn credu mewn arwyddion marwolaeth.

Un noson, roedd dyn yn cerdded gyda'i wraig ger afon Clywedog. Roedd hi'n eitha tywyll. Gwelon nhw rywbeth rhyfedd iawn …

Roedd chwech o ddynion yn cerdded wrth yr afon ac roedden nhw'n cario rhywbeth trwm. Tu ôl i'r chwe dyn, roedd grŵp o bobl. Doedd dim sŵn. Dim sŵn traed. Dim sŵn siarad. Dim byd! Roedd y ddaear yn wlyb ond doedd hi ddim yn bwrw glaw. Pasiodd y bobl yma'r dyn a'i wraig. Yna, stopion nhw am ychydig wrth y bont a rhoion nhw'r peth trwm ar wal y bont. Yna codon nhw'r peth trwm eto a cherddon nhw i ffwrdd yn dawel.

Roedd ofn ar y wraig achos roedd hi'n gwybod – roedd y bobl yma'n mynd i angladd. Ond pam oedden nhw'n mynd yn y nos?

Y diwrnod wedyn, gofynnodd y ddau i bobl y pentref pwy oedd wedi marw. Doedd neb wedi marw. Ond roedd un ddynes yn gwybod beth oedd wedi digwydd. 'Ysbrydion ydyn nhw,' meddai. 'Mae rhywun yn mynd i farw!'

Rai dyddiau wedyn, roedd cloch yr eglwys yn canu. Roedd hi'n bwrw glaw. Unwaith eto roedd chwech o ddynion yn cerdded wrth yr afon ac roedden nhw'n cario rhywbeth trwm - arch. Tu ôl i'r chwe dyn, roedd grŵp o bobl. Stopiodd y grŵp am ychydig a rhoion nhw'r arch ar wal y bont. Yna, codon nhw'r arch eto a cherddon nhw i ffwrdd yn dawel – i'r fynwent.

Ym mhentref Penally, Sir Gaerfyrddin, un noson, roedd hen ddyn yn cerdded heibio i'r fynwent. Gwelodd e chwech o ddynion yn cario arch yn cerdded tuag ato. Tu ôl iddyn nhw roedd grŵp o bobl yn cerdded yn dawel - roedd ei ffrindiau e yn y grŵp. Doedd dim sŵn. Dim sŵn traed. Dim sŵn siarad. Dim byd!

Roedd y dyn wedi gweld llawer o angladdau ond doedd e ddim wedi gweld angladd yn y nos. Cyrhaeddodd y grŵp y fynwent ond yn lle mynd i mewn drwy'r fynedfa, aethon nhw dros y clawdd ac o gwmpas wal y fynwent.

Y diwrnod wedyn, dwedodd yr hen ddyn yr hanes wrth bobl y pentre. Roedden nhw'n poeni, roedd hi'n amlwg.

Rai wythnosau wedyn, bu e farw. Roedd y tywydd yn oer iawn ac roedd hi'n bwrw eira. Dechreuodd ei angladd o'i gartref. Roedd chwech o bobl yn cario'r arch a tu ôl i'r arch roedd ei ffrindiau'n cerdded. Cyrhaeddon nhw'r fynwent ond doedden nhw ddim yn gallu mynd i mewn drwy'r fynedfa achos yr eira. Roedd rhaid mynd dros y clawdd ac o gwmpas wal y fynwent.

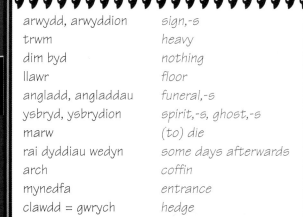

arwydd, arwyddion	sign,-s
trwm	heavy
dim byd	nothing
llawr	floor
angladd, angladdau	funeral,-s
ysbryd, ysbrydion	spirit,-s, ghost,-s
marw	(to) die
rai dyddiau wedyn	some days afterwards
arch	coffin
mynedfa	entrance
clawdd = gwrych	hedge

WPS!

torri	(to) break	tuag at	towards
brifo	(to) hurt	ysgol	ladder
y diwrnod cynt	the previous day	ar ben	on top of
stondin	stall	palmant	pavement
yn waeth	worse	o gwmpas	around
yn waeth byth	even worse		

Un noson, ffoniodd Aled Lisa achos roedd e wedi clywed newyddion am Huw.

Hei, Lisa, wyt ti wedi clywed y newyddion am Huw?

Nac ydw.

Mae e yn yr ysbyty.

Ffoniodd Lisa Beca ar unwaith. Roedd Huw yn yr ysbyty ac roedd rhaid iddyn nhw fynd i weld sut roedd e.

Ydy, wir, mae e yn yr ysbyty.

Wel, beth am fynd i weld sut mae e?

Roedd Huw yn edrych yn eitha da.

Y diwrnod wedyn

Huw, sut wyt ti?

Ddim yn rhy ddrwg, diolch.

Beth wyt ti wedi wneud?

Rydw i wedi torri fy nghoes ac rydw i wedi brifo fy mhen.

Roedd pawb eisiau gwybod beth oedd wedi digwydd. Felly, dwedodd Huw yr hanes.

Sut? Beth ddigwyddodd?

Wel, roeddwn i'n beicio i'r dref...

Y diwrnod cynt, roedd Huw yn beicio i'r dref ...

... a gwelais i rywbeth rhyfedd.

O?

... a gwelodd e ddau o athrawon yr ysgol yn snogio.

Gwelais i Edi Wedi yn snogio Miss Davies.

Edi Wedi yn snogio!! O, ych a fi!!!

Cafodd e sioc wrth gwrs ac yna cafodd e ddamwain.

Felly, syrthiaist ti o dy feic?

Naddo. Ces i sioc ofnadwy ...

Wrth gwrs.

... felly beiciais i mewn i stondin ffrwythau a syrthiodd y stondin.

Eich tro chi nawr

Mewn grŵp, rydych chi'n mynd i baratoi newyddion, e.e.

tudalen o bapur newydd   newyddion ar gyfer y we

rhaglen newyddion ar gyfer y teledu   rhaglen newyddion ar gyfer y radio

Yn gyntaf, rhaid i chi feddwl am straeon da, e.e. stori am

Pwyntiau pwysig

Mynegi barn — *Expressing opinions*

Beth ydych chi'n feddwl o …?	*What do you think of …?*
Rydw i'n meddwl bod …	*I think that …*
Rydw i'n credu bod …	*I believe that …*
Yn fy marn i, …	*In my opinion, …*

Sut i … ysgrifennu erthygl   ***How to …*** *write an article*
paratoi hysbyseb   *prepare an advertisement*
ysgrifennu llythyr   *write a letter*
gwneud cyfweliad   *prepare for an interview*

Rhagenwau — *Prepositions*

fy + tr. trwynol	*my*	ein – dim tr.	*our*
dy + tr. meddal	*your*	eich – dim tr.	*your*
ei + tr. meddal	*his*	eu – dim tr.	*their*
ei + tr. llaes (t, c, p)	*her*		

YN	>	WEDI
Roeddwn i'**n** mynd.		Roeddwn i **wedi** mynd.
Roedd e'**n** / o'**n** mynd.		Roedd e / o **wedi** mynd.
Roedden nhw'**n** mynd.		Roedden nhw **wedi** mynd

Hefyd:

YN	>	WEDI
Doeddwn i **ddim yn** mynd.		Doeddwn i **ddim wedi** mynd.
Doeddet ti **ddim yn** mynd.		Doeddet ti **ddim wedi** mynd.
Doedd e / o **ddim yn** mynd.		Doedd e / o **ddim wedi** mynd.
Doedd hi **ddim yn** mynd.		Doedd hi **ddim wedi** mynd.
Doedden ni **ddim yn** mynd.		Doedden ni **ddim wedi** mynd.
Doeddech chi **ddim yn** mynd.		Doeddech chi **ddim wedi** mynd.
Doedden nhw **ddim yn** mynd.		Doedden nhw **ddim wedi** mynd.

YN	>	WEDI
Oeddwn i'**n** mynd?		Oeddwn i **wedi** mynd?
Oeddet ti'**n** mynd?		Oeddet ti **wedi** mynd?
Oedd e'**n** / o'**n** mynd?		Oedd e / o **wedi** mynd?
Oedd hi'**n** mynd?		Oedd hi **wedi** mynd?
Oedden ni'**n** mynd?		Oedden ni **wedi** mynd?
Oeddech chi'**n** mynd?		Oeddech chi **wedi** mynd?
Oedden nhw'**n** mynd?		Oedden nhw **wedi** mynd?

e.e.   Oeddet ti **wedi** paratoi cyn y parti?   Oedd hi **wedi** bwrw glaw?
       Oeddwn, roeddwn i **wedi** paratoi.   Oedd, roedd hi **wedi** bwrw glaw.
       Nac oeddwn, doeddwn i ddim **wedi** paratoi.   Nac oedd, doedd hi ddim **wedi** bwrw glaw.

FFURFIAU ERAILL

Ffurfiau yn y llyfr cwrs	Ffurfiau eraill	
Bwytais i.	1. **Mi f**wytais i. / **Fe f**wytais i. 2. Bwyt**es** i. / Fe fwyt**es** i. 3. **Ddaru** mi fwyta. 4. **Wnes i** fwyta. 5. **Mi / Fe** wnes i fwyta.	→ Uned 1
Roeddwn i'n hapus.	**Rôn i'n** hapus.	→ Uned 1
Mae ofn arna i. Mae ofn llygod arna i. Does dim ofn arna i. Does dim ofn llygod arna i. Oes ofn arnat ti? Oes ofn llygod arnat ti? Oes ofn arnoch chi? Oes ofn llygod arnoch chi?	Mae arna i ofn. Mae arna i ofn llygod. Does arna i ddim ofn. Does arna i ddim ofn llygod. Oes arnat ti ofn? Oes arnat ti ofn llygod? Oes arnoch chi ofn? Oes arnoch chi ofn llygod?	→ Uned 1
Mae eisiau bwyd arna i. Does dim eisiau bwyd arna i. Oes eisiau bwyd arnat ti? Oes eisiau bwyd arnoch chi?	Mae arna i eisiau bwyd. Does arna i ddim eisiau bwyd. Oes arnat ti eisiau bwyd? Oes arnoch chi eisiau bwyd?	→ Uned 2
Mae syched arna i. Does dim syched arna i. Oes syched arnat ti? Oes syched arnoch chi?	Mae arna i syched. Does arna i ddim syched. Oes arnat ti syched? Oes arnoch chi syched?	→ Uned 2
Mae annwyd arna i. Mae peswch arna i. Mae gwres arna i. Mae'r ffliw arna i. Mae'r ddannodd arna i. Mae brech yr ieir arna i.	Mae gen i annwyd. Mae gen i beswch. Mae gen i wres. Mae gen i'r ffliw. Mae gen i'r ddannodd. Mae gen i frech yr ieir.	→ Uned 2
Gallwn i ... Gallech chi ... ac ati	Fe allwn i ... Mi allwn i ... Mi fedrwn i ... Fe allech chi ... Mi allech chi ... Mi fedrech chi ...	→ Uned 3
Hoffwn i ... ac ati	Fe hoffwn i ... Mi hoffwn i ...	→ Uned 4
Baswn i'n ... ac ati	Fe faswn i'n ... Mi faswn i'n ...	→ Uned 4
Roeddwn i wedi mynd. Oeddwn i wedi mynd?	Rôn i wedi mynd. Ôn i wedi mynd?	→ Uned 5

Y TREIGLADAU

Y Treiglad Meddal

t > d; c > g; p > b; d > dd; g > -; b > f; m > f;
ll > l; rh > r

→ **TAITH IAITH 1, TUD. 87**

→ **TAITH IAITH 2, TUD.104-5**

 tud 138-141

Ble?

dy	ar dy **b**en dy hun dy **g**i di	*by yourself* *your dog*	→ Uned 1 → Uned 5
ei	ar ei **b**en ei hun ei **w**allt e ei **g**i e	*by himself* *his hair* *his dog*	→ Uned 1 → Uned 2 → Uned 5
i	chwarae i **d**îm yr ysgol	*(to) play for the school team*	→ Uned 1
o	aelod o **g**lwb carate mwy o **l**ysiau	*a member of a karate club* *more vegetables*	→ Uned 1 → Uned 2
amser	**dd**wy waith yr wythnos **d**air gwaith y mis	*twice a week* *three times a month*	→ Uned 1
hoffwn / hoffet ac ati	Beth hoffet ti **w**neud? Hoffwn i **f**ynd i Baris.	*What would you like to do?* *I'd like to go to Paris.*	→ Uned 1 → Uned 4
dylwn / dylet ac ati	Dylwn i **f**wyta …	*I should eat …*	→ Uned 2
gallwn / gallet ac ati	Gallet ti **r**oi'r dillad i fi.	*You could give me the clothes.*	→ Uned 3
ar ôl gorchmynion	Cymra **l**wyaid o …	*Take a spoonful of …*	→ Uned 2
i ofyn cwestiynau	**F**wytaist ti? **Dd**ylet ti ymarfer? **A**llet ti **r**oi'r dillad i fi? **F**aset ti'n defnyddio'r papur? **F**asech chi'n mynd i Sbaen?	*Did you eat?* *Should you exercise?* *Could you give me the clothes?* *Would you use the paper?* *Would you go to Spain?*	→ Uned 1 → Uned 2 → Uned 3 → Uned 3 → Uned 4
rhaid i … mae'n bryd i … mae'n hen bryd i … mae angen i … mae'n well i …	Rhaid i ti **f**wyta bwyd iach. Mae'n bryd i ti **w**neud rhywbeth. Mae'n hen bryd i fi **w**neud rhywbeth. Mae angen i ni **f**eddwl am … Mae'n well i ni **dd**echrau nawr.	*You must eat healthy food.* *It's time you did something.* *It's high time I did something.* *We need to think about …* *We'd better start now*	→ Uned 3

Y Treiglad Trwynol

→ **TAITH IAITH 2, TUD. 105**

 tud 142

t > nh; c > ngh; p > mh; d > n; g > ng; b > m

Ble?

fy	ar fy **mh**en fy hun fy **ngh**i i	*by myself* *my dog*	→ Uned 1 → Uned 5

Y Treiglad Llaes

→ **TAITH IAITH 2, TUD. 105**

tud 143

t > th; c > ch; p > ph

Ble?

ei	ar ei **ph**en ei hun ei **ch**i hi	*by herself* *her dog*	→ Uned 1 → Uned 5

80